VOULOIR MAIGRIR POUR LES DEB

Delphine Gouaty

D1294056

Publié par QI Edition (groupe qidesign)
35, avenue du général de Gaulle
92170 Vanves
Tel : 01 79 46 84 14

ISBN : 978-2-918572-02-2

TABLE DES MATIERES

Introduction

Chaque jour apporte son lot de nouveautés en matière d'amincissement. Une évolution permanente qui traduit les excès, mais aussi les réelles avancées en matière de nutrition. Quatre femmes sur cinq estiment en effet avoir quelques kilos à perdre. Selon une enquête de l'Insee, la France n'est pas épargnée par l'épidémie d'obésité qui touche les pays occidentaux. Plus de 5,3 millions de français sont obèses et 14,4 millions souffrent de surpoids et de toutes les complications qui lui sont liées, telles que les problèmes cardio-vasculaires, respiratoires, hépato-biliaires ou ostéo-articulaires. Face à ces menaces, experts et spécialistes ont mis au point des méthodes d'amaigrissement efficaces destinées à lutter contre le fléau du surpoids et ses menaces sur la santé. Mais entre les derniers régimes à la mode aux promesses parfois trompeuses et les méthodes d'amaigrissements « révolutionnaires », la prudence s'impose. Pour faire rimer minceur, forme et beauté, la bible des régimes a analysé et comparé les méthodes pour maigrir : les régimes à éviter ou ceux qui ont fait leurs preuves, les techniques esthétiques, les aliments santé, les outils. Un guide pratique pour trouver le régime qui convient à chacun et éviter les erreurs. Parce qu'on ne demande plus à un régime d'être seulement amaigrissant. On veut qu'il nous embellisse, dope notre forme physique, « boost » nos performances intellectuelles, rétablisse harmonie et équilibre, sculpte notre silhouette, lutte contre le vieillissement… Le tout sans perturber l'organisme. Les régimes présentés font appel à des techniques et des domaines variés de la physiologie, la nutrition, la psychologie, la diététique… Un moyen de connaître les règles essentielles en matière d'amaigrissement, mais aussi de comprendre les mécanismes physiques et psychologiques en jeu pour maigrir intelligemment, en toute connaissance de cause et en toute sécurité. Par ailleurs, il est plus facile de maintenir sa motivation lorsque l'on est sûr de ses choix et lorsqu'on sait éviter les pièges des régimes qui conduisent à des comportements alimentaires pathologiques (anorexie, boulimie, obésité…). Pour pouvoir rester mince durablement, mieux vaut faire de la nourriture son allié et maigrir avec bonheur. On ne veut pas d'un régime qui nous rende terne et grincheux, flasque. Les régimes ne tiennent pas leurs promesses lorsqu'ils visent une perte de poids rapide au dépend de la masse musculaire et au profit des comportements de grignotage. La frustration et la boulimie remplacent la faim et la satiété, faisant disparaître le plaisir de manger. Au delà d'un sentiment de honte et de culpabilité, ces entorses aux règles essentielles de l'hygiène alimentaire risquent fort d'installer une prise de poids durable. D'autres régimes au contraire privilégient un retour aux sensations corporelles en lien avec la nourriture, privilégiant équilibre, variété et modifications des habitudes alimentaires. C'est là sans doute que réside la clé du succès. La bible des régimes vous permettra de maigrir en toute sérénité, et en toute connaissance de cause. A chacun de sélectionner celui qui correspondra le mieux à sa personnalité, ses besoins, ses envies. Car entreprendre un régime, c'est avant tout décider de se faire du bien.

I. Pourquoi grossit-on ? Les raisons du surpoids

Manger n'est plus considéré comme un acte de nécessité. On attend de la nourriture bien plus que de combler nos besoins énergétiques. On veut qu'elle nous procure des sensations de plaisir, qu'elle pallie aux manques, qu'elle apaise les tensions. En mangeant, on pense diminuer le stress, apporter de l'énergie, faire le plein de vitamines et même se soigner avec les nouveaux alicaments ! Mais très vite, les excès aboutissent à l'effet inverse : une dépendance à la fois physique et psychologique.

Le surpoids apparaît lorsqu'il y a déséquilibre entre les dépenses et les apports énergétiques. Pour prévenir une éventuelle pénurie d'apport alimentaire, l'organisme stocke les apports énergiques excédentaires principalement sous forme de graisse. Ce stock est maintenu à un niveau constant en fonction de l'âge, des hormones, du stress, ou du terrain social et génétique. En revanche, il n'existe pas de système permettant au corps de combattre les excès énergétiques.

Différents facteurs favorisent le développement d'une obésité

Les influences sociales

Selon de récentes études menées par les chercheurs en psychologie de l'Université de Toronto, la décision de consommer un aliment est basée sur des informations sociales, plutôt que sur les sensations de faim et de satiété ou sur des besoins physiques et nutritionnels. La consommation est en effet influencée par les quantités et la nature des éléments consommés par les autres personnes, notamment pendant un repas d'affaire ou un repas familial. Si l'on manque de repères biologiques, on est d'autant plus influençable aux normes sociales. Il semblerait que plus les personnes sont en surpoids, plus ils utilisent les indices externes (fin d'une émission de télévision, assiette vide, comportement des autres convives…). C'est une des raisons pour laquelle on remarque souvent un lien entre culture et indice de masse corporelle. Le mode de vie occidental se caractérise par une activité physique limitée et une alimentation riche en sucres et en graisses. Ainsi, les américains ont un taux d'obésité parmi les plus élevé avec un taux supérieur à 30% de la population, de même que les mexicains (30 %) les néo-zélandais (26,5 %) ou les anglais (24 %) (Source : Eco-Santé OCDE 2009). Même les chinois, qui bénéficiaient d'un taux d'obésité inférieur à 5 %, connaissent une des plus fortes augmentations avec un taux qui peut atteindre 20 % dans certaines villes. Les français, avec un taux de 10.5 % de la population, ont un taux, en moyenne, bien inférieur à la plupart des autres pays développés. Néanmoins, ce taux est en augmentation. Le « Plan National Nutrition Santé » tente de stabiliser le phénomène, notamment chez les enfants.

L'alimentation

L'alimentation est un facteur déterminant dans la prise de poids. Les excès en apports énergétiques sont principalement dus à des habitudes culturelles, professionnelles ou familiales, des troubles du comportement (boulimie…), d'un dérèglement hormonal, ou d'une consommation d'aliments riches en sucre et graisse qui ne déclenchent pas un effet de satiété suffisant. La mauvaise alimentation déclenche une réaction physique d'accoutumance. Lorsqu'on consomme en excès les sucres, les muscles se fermeront à un nouvel apport en sucre, refusant d'obéir à l'insuline, fabriquée par le pancréas. C'est l'insulino-résistance. En réponse, le pancréas va produire plus d'insuline. L'organisme est déréglé et devient hyper insulinique, réclamant toujours plus de sucre. De plus, les excès en sucre sensibilisent les récepteurs physiologiques à la dopamine, hormone du plaisir. Il existerait d'ailleurs des similitudes entre les réactions de l'organisme, telles que la libération de la dopamine, face à la présence d'aliments sucrés et les réactions face aux drogues. On observe dans les deux cas des comportements compulsifs (frénésies alimentaires, boulimie et anorexie mentale) et des symptômes de sevrage (angoisse, irritabilité…).

Les dépenses énergétiques

Les dépenses énergétiques de base diminuent malheureusement avec l'âge, ce qui favorise la prise de poids. Ce phénomène est renforcé par nos modes de vie de plus en plus sédentaires.

Les facteurs génétiques

Les facteurs génétiques peuvent avoir un rôle déterminant dans l'augmentation de la masse grasse , mais aussi dans les comportements alimentaires, dans la régulation de la prise alimentaire, dans le métabolisme du sucre et des graisses et dans la production d'insuline. La capacité à dépenser les calories est également fortement influencée par l'hérédité. Malgré cette influence, la quantité et la qualité de l'alimentation et le mode de vie ont un grand rôle à jouer dans la maîtrise de son poids.

Les facteurs psychologiques

Le surpoids peut apparaître à la suite d'un trouble psychologique provoqué par un événement (séparation…), une maladie (dépression…) ou un bouleversement hormonal (puberté, ménopause, grossesse…). Bien souvent, la prise alimentaire excessive s'accompagne d'un sentiment de culpabilité et de dévalorisation et l'on mange encore plus. Le cercle vicieux s'installe, l'organisme va réagir au surplus et à la mauvaise bouffe, en développant un surpoids, détraquant les mécanismes de régulation (insuline, sensation de satiété et de faim…) et créant de nouveaux besoins. On s'alimente pour retrouver un état de bien-être, un état que l'on possédait déjà avant même d'être tombé dans le piège de la surconsommation et de la mauvaise bouffe. Le danger étant que l'illusion s'installe, car plus on mange sans réel besoin, plus on s'éloigne de notre bien-être initial, et plus on a besoin de compenser en mangeant.

Les médicaments

Les neuroleptiques, antidépresseurs, l'insuline, sont des médicaments susceptibles de provoquer une prise de poids.

II. Pourquoi maigrir ? Les bénéfices

Outre des considérations d'apparence physique, les raisons d'entreprendre un régime sont multiples : prolonger la longévité, réduire les risques de cancers, éviter les maladies dégénératives, l'arthrose, l'insuffisance respiratoire, les troubles digestifs (reflux gastro- oesophagiens, insuffisance hépatique, calcul de la vésicule biliaire, hernie hiatale), hormonaux (baisse de la fertilité et troubles de l'ovulation…), rénaux, psychiques (dépression…), cardiovasculaires (infarctus du myocarde, insuffisance cardiaque, accident vasculaire cérébral, trouble du rythme cardiaque…).

La liste des troubles liés au surpoids est longue. L'augmentation du poids fatigue l'organisme, favorise l'hypertension artérielle, le diabète, et augmente le taux de cholestérol dans le sang, et le taux de graisse. En outre, les médicaments destinés à maigrir tels que les hormones thyroïdiennes, les diurétiques, les amphétamines ou la chirurgie de l'estomac peuvent représenter eux aussi un grand danger pour l'organisme.

En suivant un régime, le poids va diminuer, au détriment des cellules graisseuses dont la taille va diminuer aussi. En premier lieu, on observe une diminution de la graisse autour de la taille et au niveau du cœur et du foie. Les triglycérides, le mauvais cholestérol (LDL-cholestérol) et le taux de sucre dans le sang vont baisser et la sensibilité à l'insuline va augmenter diminuant ainsi les risques de diabète. La pression artérielle et l'inflammation dans le sang baissent de manière proportionnelle à la perte de poids et de masse grasse. On observe une diminution de la fréquence cardiaque et de la pression artérielle.

Fixer des objectifs

Les normes sociales influencent la perception du poids acceptable. C'est pourquoi il est préférable de réaliser avec son médecin une évaluation de son surpoids afin de déterminer des objectifs précis et raisonnables. Plusieurs éléments doivent être pris en compte, parmi lesquels : le poids et son évolution, la taille, les causes du surpoids, les antécédents familiaux, médicaux, les maladies éventuelles, l'état psychologique, les dépenses énergétiques, la consommation des aliments.

Plusieurs examens permettront d'analyser l'état de santé : glycémie (taux de sucre), bilan lipidique, acide urique, hormones thyroïdiennes (TSH).

En fonction des ces éléments, on pourra déterminer un objectif de poids, mais aussi d'hygiène de vie.

Le poids normal est celui qui permettra d'obtenir un état de santé optimal. Il est variable pour chaque individu. L'ossature, les muscles ou la taille, sont bien sûr des éléments à prendre en compte avant les valeurs esthétiques, culturelles ou personnelles. En moyenne, une surcharge pondérale se définit par un excès de plus de 20 % par rapport au poids théorique normal, une obésité se définit quant à elle par un excès de plus de 30 %.

Les indices

Plusieurs calculs permettent de déterminer le poids normal, mais beaucoup ne tiennent pas compte de la morphologie, de l'évolution de la prise de poids, de sa rapidité, ou de la répartition de la masse grasse.

- l'indice de masse corporelle (IMC) ou « Body Mass Index » (BMI)

IMC = Poids en kg / (taille en mètres x taille)

Valeur d'IMC chez l'homme : IMC <40 kg/m² : obésité de type III, entre 35 et 39,9 kg/m² : obésité de type II, entre 30 et 34,9 kg/m² : obésité de type I, entre 25 et 29,9 kg/m² : surpoids, < 25 kg/m² : normalité ;

Valeur d'IMC chez la femme : > 40 kg/m² : obésité de type III, entre 34 et 39,9 kg/m² : obésité de type II, entre 29 et 33,9 kg/m² : obésité de type I, entre 24 et 28,9 kg/m² / surpoids

< 24 Kg/m² : normalité.

- le tour de taille permet d'apprécier l'importance et la localisation de la masse grasse. Au-delà de 88 pour la femme et 102 cm chez l'homme, on parle d'obésité ;

- calcul de masse grasse et de masse maigre

On la définit à travers les mesures anthropométriques (poids, taille, du tour de cou, mesure des plis graisseux en arrière du bras, au-dessus du bassin ou de l'omoplate) ou bien grâce à des appareils d'impédancemétrie bioélectrique ou bio-impédance qui évaluent la masse maigre et grasse.

III. Comment maigrir ? Les conseils

Comment éviter le piège de l'effet yoyo, qui survient après une perte de poids trop importante ? Pour perdre du poids de façon saine, les experts s'accordent sur de nombreux points :

Modifier de manière permanente ses habitudes alimentaires

Plutôt que de tabler sur un régime qui fera perdre les kilos en trop sur une période déterminée, mieux vaut, d'emblée, envisager un régime que l'on est prêt à suivre toute sa vie et qui permettra d'atteindre le poids souhaité ad vitam aeternam. La plupart des nouveaux régimes misent sur cette manière d'aborder la diète au long terme. Plutôt qu'un programme sur plusieurs jours, ils proposent une alimentation idéale et adéquate tout au long de sa vie. Cela permet d'envisager les nouvelles habitudes acquises avec un certain recul, en s'adaptant à une nouvelle manière de manger, plutôt que de s'accrocher à tenir quelques jours de diète en ayant l'impression de subir une contrainte.

✓ *Un plaisir*

Non, bien manger n'est pas une punition. C'est un plaisir que l'on découvre, celui de manger à sa faim mais pas plus. Le plaisir de donner à son corps ce dont il a besoin pour être au meilleur de sa forme. Les kilos superflus partiront sans même y penser, et surtout pas en faisant de son poids une obsession. En prenant plaisir à manger des aliments sains, on écarte la frustration.

✓ *Aliments sains*

Inutile de garder chez soi des aliments néfastes pour son régime, pour éviter d'être tenté. En outre, on mange souvent par habitude et non par faim. Mieux vaut conserver toujours à disposition des aliments sains et faibles en calories : fruits frais, boissons sans calorie, légumes, salades et crudités, poulet…Si l'on doit faire l'effort de sortir pour obtenir un aliment riche en calories, on n'aura pas été victime d'une pulsion, mais on aura pris le temps d'y réfléchir, et peut-être perdu l'envie, le temps de se préparer à sortir. Souvent, c'est simplement une habitude bien ancrée dans notre activité quotidienne qui nous pousse à manger.

✓ *Relaxation*

On peut penser avoir faim alors que nous avons seulement un sentiment d'ennui, de frustration, de stress… Souvent après une journée bien remplie, on pense avoir le sentiment de se détendre en avalant deux ou trois rations de chips ou de saucisson, affalé dans un fauteuil. Prendre le temps de se relaxer, relâcher les tensions sont des moyens bien plus sûrs de vider son esprit du stress accumulé. Un autre moyen de garder le cap est sans doute aussi, de se concentrer sur son objectif en imaginant tous les bienfaits que l'on en retirera (apparence, bien-être, santé…). Se remémorer les kilos déjà perdus permet aussi d'apprécier ses efforts et de se redonner du courage.

Augmenter son activité physique.

✓ *Bien-être*

L'activité physique est un bon moyen d'accompagner son régime. Non pas qu'il fasse perdre beaucoup de poids (même s'il y contribue), mais surtout, il permet de porter son attention sur autre chose que son alimentation. Là encore, pas question de se forcer sur une activité qui rebute au prix d'un effort de volonté phénoménal. Il s'agit au contraire de se faire plaisir, de « booster » son énergie et de se sentir bien dans sa peau. Les autorités en la matière conseillent environ 30 minutes de sport par jour. Après avoir utilisé les glucides disponibles, le corps va puiser dans les graisses son énergie, à court terme, mais aussi à long terme. L'activité physique va contribuer à l'équilibre de la balance énergétique et va prévenir ou ralentir la prise de poids liée à l'âge. La pratique du sport induit une baisse de la masse grasse et entraîne donc une distribution favorable des graisses sur l'ensemble de l'organisme. Les performances physiques induisent un sentiment de bien-être qui est déterminant dans le suivi d'un régime.

✓ *Santé*

Enfin, le sport aide à lutter contre les risques cardiovasculaires tels que l'infarctus du myocarde, et l'athérosclérose. Il diminue le taux de cholestérol, et le taux de sucre dans le sang, a un effet anti-inflammatoire et diminue la pression artérielle.

✓ *Aérobie*

On recommande généralement un sport stimulant le système aérobie tel que la marche ou le vélo qui favorisent la durée plus que l'intensité afin d'activer la combustion des graisses. Si vraiment on est hermétique au sport, on peut éventuellement se tourner vers les appareils de musculation à plateforme vibrante. Celles-ci seraient efficaces pour perdre du poids en faisant contracter les muscles et augmenter le flux sanguin.

Boire

La plupart des régimes conseillent de boire beaucoup d'eau. Il est vrai que l'on confond parfois la sensation de soif et celle de la faim si l'on n'y prête pas attention. Boire permet aussi, sans aucun doute, de lutter contre les comportements de type compulsifs. Plutôt que d'avaler mécaniquement le paquet de biscuits, pour lutter contre le stress ou une émotion négative, mieux vaut avoir à disposition une bouteille d'eau que l'on boit sans soif, sans pour autant se forcer. Les boissons aromatisées avec du jus de citron frais, les tisanes sans sucre, ou encore les eaux aromatisées aux saveurs fruitées, récemment mises sur le marché, aideront aussi à éviter le grignotage. En outre, l'eau a un effet physiologique : elle nettoie l'organisme, élimine les toxines, et favorise le drainage lymphatique.

S'interroger sur ses sensations de faim et de satiété

La faim est un sentiment naturel que beaucoup ont oublié. La plupart du temps, on a perdu en effet l'habitude de répondre à ce signal pour manger. On se réfère aux instructions de son régime, aux normes sociales, à ses pulsions boulimiques... Il est bon de se réconcilier avec cette sensation qui est un signe physique de bonne santé. Attendre d'avoir faim, ne veut pas dire s'affamer et suivre un régime hypocalorique drastique qui au contraire nous déconnecte de ces sensations. Attendre d'avoir faim signifie attendre d'éprouver les signes physiques de la faim (creux dans l'estomac, gargouillis, tiraillements...). C'est le signe envoyé par notre organisme pour prévenir d'un besoin en ravitaillement ! Il faut y répondre et savoir, là encore, écouter un deuxième signal : celui de la satiété. Ce signal est envoyé par l'estomac, le foie et le pancréas, mais peut ne pas être entendu par péché de gourmandise, ou bien, à cause d'un dérèglement physiologique (hormones, médicaments, troubles alimentaires...).

Dans une société où l'on nous propose des objets de désir avant même de les avoir désirés, on ne sait plus s'arrêter de consommer, créant ainsi des liens de dépendance. Comme des drogués, nous transgressons les lois biologiques de notre corps pour obtenir notre plaisir. Il est préférable de chercher d'autres moyens de se faire plaisir ou de combattre le stress : lire son bouquin préféré, écouter de la musique, se relaxer... sont des moyens tout aussi efficaces pour se réconforter.

Tenir un journal de bord

Un bon moyen de suivre les résultats de son régime est de tenir à jour un journal alimentaire. Selon une étude publiée dans l'*American Journal of Preventive Medicine*, les personnes qui tiennent un journal alimentaire pendant leur régime perdent deux fois plus de poids. Le régime recommandé consistait en quelques règles simples : des fruits, des légumes et des produits laitiers sans matière grasse, mais aussi des exercices de trente minutes par jour et une réunion de soutien hebdomadaire.

La modification des ses habitudes alimentaires reste en effet l'un des meilleurs moyens de lutter contre le surpoids. En planifiant ces comportements dans un journal, les patients gèrent mieux leur alimentation. Pour tenir un journal, il suffit de noter les aliments et calories consommés dans la journée. Le but est de prendre conscience de ses habitudes et de réfléchir à leur bien fondé. Les calories consommées sont comptabilisées, aidant ainsi à contrôler et à maintenir ses bonnes habitudes. Grâce à une perte de poids de 6 kilos en moyenne sur 6 mois, les patients ont diminué leur niveau de cholestérol et les risques d'hypertension, de diabète et de maladies cardiaques.

JOURNAL DE BORD - Semaine 1			
LUNDI Poids : Tour de taille : Pouls :	Aliment	Kcal	Graisse
Petit déjeuner			
Collation			
Déjeuner			
Collation			
Dîner			
Total			
Exercices (en minutes)			
Remarques			
Humeur			

Comprendre son régime

Comprendre son régime évite les doutes et les hésitations qui sont si souvent fatales à notre décision de maigrir. De même, connaître les aliments et le fonctionnement de son organisme est indispensable pour prévenir les réactions de celui-ci et apporte des réponses aux éventuels problèmes. Les connaissances de base en matière d'équilibre alimentaire permettent d'éviter les erreurs. Comment peut-on espérer maigrir sans apporter à notre organisme les acides gras essentiels, les protéines qui renforcent la masse musculaire et procurent un effet de satiété, ou les glucides qui sont notre principale source d'énergie et sont indispensables à notre cerveau ? La bible des régimes propose d'analyser en détail les points essentiels de chaque régime. On peut les classer en plusieurs catégories.

✓ *Les régimes dissociés*

Les régimes dissociés s'inspirent des théories du docteur Howard Hay, dans les années 30, puis du docteur Shelton, dans les années 50. Selon eux, il est nécessaire de ne pas mélanger les aliments pour permettre une digestion et donc une assimilation optimale des aliments par notre corps. Plusieurs variantes ont été élaborées comme le régime Demis Roussos, le régime Antoine ou le régime Montignac. Le succès de ces régimes auprès de nombreuses célébrités du sport ou du showbiz ont contribué à leur large diffusion auprès du grand public.

✓ *Les régimes d'exclusion*

Les régimes d'exclusion consistent à éliminer une ou plusieurs catégories d'aliments pour favoriser une perte de poids rapide. Le régime Low carb élimine les glucides tandis que le régime Hollywood se compose uniquement de fruits. Ces types de régimes ont l'avantage de permettre de manger à sa faim, mais provoquent des carences inévitables. Ces régimes ont eu beaucoup de succès dans les années 80. Ils sont aujourd'hui déconseillés par la majorité des diététiciens étant donné leurs effets néfastes sur la santé : risques cardio-vasculaires, reprise de poids rapide, fatigue ou fonte de la masse musculaire.

✓ *Les régimes sur mesure*

Les régimes sur mesure prennent en compte le terrain et les besoins de chaque organisme. De nombreux diététiciens proposent une alimentation adaptée à son profil, à son rythme de vie et à ses habitudes alimentaires. Les régimes présentés ici prennent plus particulièrement en compte l'équilibre acido-basique de l'organisme, le groupe sanguin, le taux de cellulite ou l'horloge biologique.

✓ *Les régimes hypocaloriques*

La plupart des régimes ont pour objectif de réduire l'apport calorique pour permettre à l'organisme de puiser dans ses réserves et favoriser ainsi la perte de poids. Plus ou moins restrictifs, ses régimes peuvent entraîner des carences et une reprise de poids aussi rapide que l'a été la perte. Pour pallier à ces inconvénients, certains régimes hypocaloriques s'attachent à préserver un bon équilibre alimentaire.

✓ *Les compléments et substituts*

Petit coup de pouce ou changement radical, les compléments ou médicaments sont là pour renforcer l'efficacité du régime alimentaire choisi. La première des choses à garder à l'esprit est sans doute qu'ils ne pourront jamais remplacer un bon équilibre alimentaire et une bonne hygiène de vie. Les régimes à base de substituts facilitent la vie mais deviennent vite monotone. Les compléments alimentaires apportent un bon soutien pour maximiser les résultats de ses efforts. Les médicaments, enfin, sont à envisager seulement dans les cas graves d'obésité pour apporter une solution rapide.

✓ **Les régimes « équilibre »**

Ils sont de plus en plus nombreux et mettent l'accent sur la qualité et l'équilibre de l'alimentation plutôt que la quantité, en choisissant des aliments naturels et en bannissant les produits alimentaires transformés. Les résultats sont quelques fois plus longs à apparaître mais durables.

Les régimes

Montignac : mincir sans se priver

Caractéristiques :

- **Durée du régime :** de 2 à 3 mois en phase 1 ;
- **Efficacité :** de 3 à 5 kilos par mois ;
- **Rapidité :** variable ;
- **Effet yoyo :** faible ;
- **Choix d'aliments :** varié ;
- **Aliments interdits :** tous les sucres concentrés, les glucides transformés industriellement, raffinés, ou synthétisés ;
- **Aliments à surveiller :** les glucides à IG élevés, les acides gras saturés ;
- **Difficulté du régime :** assez facile ;
- **Diversité des recettes** : grande ;
- **Prix :** raisonnable ;
- **Exercice physique :** -
- **Public :** actifs, hommes et femmes.

Les origines

Souffrant de surpoids, Michel Montignac s'est intéressé, dans les années 80, aux publications scientifiques sur la nutrition et le diabète. Celles-ci remettaient en cause l'importance de l'apport calorique dans la prise de poids et proposaient un nouveau critère de classement des glucides selon leur pouvoir hyperglycémiant. Il expérimente un nouveau mode d'alimentation non restrictif qui consiste à manger mieux en choisissant des aliments à index glycémiques faibles. Publié à plusieurs millions d'exemplaires son ouvrage « Je mange donc je maigris » est devenu un best-seller publié dans de nombreux pays. Par la suite, il publie une quinzaine d'ouvrages et développe une gamme de produits conformes aux principes de sa méthode. Surnommé le « régime des managers », la méthode Montignac a séduit les *businessmen* et *businesswomen* qui mangent souvent au restaurant, et souhaitent préserver leur silhouette.

Les principes

A la différence des régimes traditionnels, la méthode Montignac ne consiste pas à réduire sa consommation d'aliments, mais à changer ses habitudes alimentaires. On peut manger à volonté, à la seule condition de choisir les aliments adéquats et de les associer correctement. Les aliments sont choisis en fonction de leur spécificité nutritionnelle et non plus en fonction de leur apport calorique. Les aliments riches en fibre alimentaires, les sources de protéines maigres comme la volaille, ou le poisson, ainsi que les acides gras polyinsaturés omégas 3 (graisse de poisson) et les acides gras mono insaturés (huile d'olive) sont privilégiés, au détriment des acides gras saturés (beurre, graisse de viande) et des viandes grasses (entrecôte, côte de bœuf…). Les glucides, quant à eux, seront choisis en fonction de leur index glycémique bas.

Dissocier graisses et sucres

L'association graisses et sucres, favorisant la prise de poids, il faudra également veiller à ne pas mélanger, au cours d'un même repas, graisses saturées et glucides à IG élevé ou protéines animales et féculents (Le traditionnel steak-frites par exemple, et même les frites seules, qui allient glucides et lipides, sont totalement bannis. Idem pour les sandwichs au poulet ou les spaghettis à la viande). Seuls les produits laitiers à 0% de matière grasse peuvent être associés aux féculents.

En revanche, l'association protéines et lipides est autorisée à volonté, pourvu qu'ils ne soient pas accompagnés de glucides. Deux types de repas sont ainsi autorisés :
- le repas lipido-protéique ou repas lipidique : il contient des protéines et des graisses.
- le repas glucido-protéique ou repas glucidique : il est constitué de glucides et de protéines.
La distance minimale entre le repas lipidique et le repas glucidique est de 2 heures.

Privilégier des aliments à index glycémique bas

Plus l'index glycémique d'un aliment est élevé, plus le taux de glucose s'élève rapidement dans le sang après sa digestion, provoquant un sentiment de satiété de courte durée. Afin d'éviter ces pics de sucre dans notre sang et son effet yoyo, Michel Montignac conseille de consommer des aliments à faible index glycémique qui induisent une glycémie réduite. La sécrétion d'insuline va stocker le glucose excédentaire dans le foie et les tissus musculaires, ramenant ainsi la glycémie à son niveau de base. L'organisme activera ensuite la lipolyse (processus d'amaigrissement) en faisant sortir les acides gras des tissus adipeux et en les ramenant dans le sang pour être utilisés comme carburant, déclenchant ainsi une perte de poids.

Au contraire, une consommation excessive de glucides à index glycémiques élevés provoquera une sécrétion d'insuline disproportionnée par rapport à l'importance de la glycémie, entraînant une résistance à l'insuline. Le pancréas doit travailler plus fort et secréter des quantités encore plus abondantes d'insuline pour normaliser les taux de sucres. Le glucose sortira lentement du flux sanguin. Les graisses seront transformées en triglycérides et le glucose sera stocké en graisse de réserve au lieu d'être utilisé par l'organisme, augmentant ainsi les cellules graisseuses.

Les étapes

✓ *La phase d'amaigrissement (2 à 3 mois jusqu'au poids souhaité) :*

Elle consiste à consommer des aliments dont l'index glycémique est inférieur ou égal à 35 afin d'éviter le stockage des graisses (lipogenèse) et de favoriser la consommation de graisses de réserve (lipolyse). Les sucres concentrés sont exclus, à l'exception du fructose (sucre blanc, glucose, saccharose, sirop de maïs, miel, sirop d'érable, sucre brut, sucre de canne, mélasse, maltose, malt…), de même que les aliments à IG élevé, notamment la bière, la pomme de terre au four, la pomme de terre frite, la farine de riz, les amidons modifiés, la purée de pommes de terre, les chips, le miel, pain blanc, qui ont IG parmi les plus élevés. Mais aussi la crème glacée, les boissons sucrées, le riz blanc, les pâtes, les pâtisseries, les biscuits, les pizzas, le couscous, la banane, le maïs, les carottes cuites, le navet cuit, la confiture, le chocolat, les dattes, les betteraves…

Les légumes peuvent être consommés à volonté, notamment les brocolis, haricots verts, épinards, aubergines... Les aliments à IG faible peuvent être consommés 2 à 3 fois par semaine : céréales complètes, légumineuses, graines sèches type lentilles, pois, flageolets haricots rouges, pain complet, semoule, soja, cacahuètes, avocats, légumes…(Les aliments riches en fibres, ou difficiles à dégrader, ont un indice généralement faible). La viande ne doit pas être consommée plus de trois fois par semaine et jamais le soir. Le poisson, les crustacés et les viandes blanches sont à préférer aux viandes riches en acides gras saturés (viandes de bœuf, veau, porc…). Les charcuteries, œufs et laitages entiers (lait, fromage, beurre...) sont à éviter. Les associations protéines et glucides sont à éviter. En cas de petite fringale en dehors des repas, on peut exceptionnellement manger un fruit, mais jamais de barres chocolatées extrêmement riches en sucres et mauvaises graisses.

✓ *La phase de stabilisation ou de prévention*

Le choix s'étend aux aliments à index glycémique plus élevé et prend en compte la charge et la résultante glycémique du repas. Il est possible de boire un verre de vin rouge au cours du repas, notamment pour son action bénéfique sur les risques cardiovasculaires.

Les plus

✓ *Bien-être*

Le régime Montignac permet de manger à satiété, tout en réduisant l'appétit. Cela s'explique notamment par l'effet satiogène des protéines et des glucides à index glycémique bas. De plus, les glucides à IG bas évitent les hypoglycémies consécutives aux pics glycémiques. La perte de poids est généralement rapide tout en gardant le plaisir de manger. Contrairement aux régimes hypocaloriques, il ne favorise pas l'effet yo-yo et la reprise de poids. La dissociation lipides et glucides facilite la digestion.

✓ *Facilité de la méthode :*

La mise en application est assez facile et ne bouleverse pas la vie sociale. Le régime encourage à ne pas sauter de repas et peut être suivi au restaurant ou chez des amis, sans avoir besoin de préparer des plats spéciaux ni de calculer les calories. C'est cette caractéristique qui a sans doute le plus contribué à construire le succès de la méthode. En outre, de nombreuses recettes, notamment des desserts, sont réalisables.

✓ *Equilibre*

La méthode permet une alimentation naturelle, variée et équilibrée qui permet de suivre le régime à long terme. La méthode ne supprime ni les glucides ni les graisses et encourage la consommation de certains aliments bénéfiques pour la santé tels que les légumineuses et les produits non raffinés, riches en fibres.

✓ *Des résultats confirmés*

L'étude du professeur Dumesnil, publiée dans le British Journal of Nutrition en 2001, a démontré que la méthode Montignac favorisait la satiété tout en réduisant l'apport calorique. La baisse du taux de triglycérides des sujets (- 35 %), qui constitue un moyen de prévenir les facteurs de risques cardiovasculaires et le diabète de type II, s'expliquerait par la baisse de la consommation de glucides totaux. Cependant, l'étude menée pendant six jours ne permet pas d'établir les effets à long terme de la méthode.

Les moins
✓ *Une alimentation riche*

La méthode est critiquée par bon nombre de nutritionnistes qui contestent l'absence de restriction quantitative des aliments. Selon eux, toutes les calories excédentaires à nos besoins se transforment en graisse corporelle. En autorisant la consommation à volonté des protéines et des lipides, on risque de manger trop de graisses saturées et entraîner, à long terme, des troubles cardio-vasculaires. En revanche, le manque de glucide peut favoriser le sentiment de fatigue, de manque d'énergie et provoquer la diminution de la masse musculaire. En interdisant certains glucides contenant des fibres comme la pomme de terre, la carotte, la banane ou la betterave, l'apport en fruits et légumes peut être insuffisant.

Les régimes - Montignac : mincir sans se priver

✓ *Un index glycémique peu précis*

L'index glycémique des aliments varie en fonction de la cuisson, de la variété de l'espèce, l'origine botanique, son hydratation ou sa transformation. Il n'est donc pas facile à utiliser. Il est préférable d'utiliser la notion de charge glycémique, plus précise, qui tient compte de la qualité mais aussi de la quantité des glucides. (Le melon d'eau a un index glycémique élevé (72) mais une charge glycémique faible).

✓ *Des résultats variables*

La perte de poids est variable. Selon Michel Montignac, les régimes hypocaloriques successifs peuvent en effet ralentir le processus d'amaigrissement, car le corps devient réfractaire à tout changement de mode alimentaire.

✓ *Des désagréments*

Les intestins peuvent être irrités par les aliments riches en fibre, principalement en début de régime. Il faut réintroduire ce type d'aliments, en procédant très progressivement. On pourra commencer par les légumes verts (poireaux, haricots verts, brocolis) et les fruits. Puis consommer à petites doses des céréales complètes (pain complet, pain intégral) et des légumes secs.

En savoir plus

Michel Montignac, *La Méthode Montignac illustrée*, Ed. Flammarion.
Michel Montignac, *Montignac de A à Z : le dictionnaire de la méthode,* Livre de poche.
Michel Montignac, *Je mange donc je maigris !,* Ed. Flammarion.
Michel Montignac, *La méthode Montignac Spécial Femme*, Ed. Artulen.

Menus types (phase 1)

Petit déjeuner : 1 fruit 20 minutes avant le repas, bol de lait écrémé ou tisane ou café décaféiné, 2 tranches de pain complet intégral, confiture sans sucre ajouté.

Déjeuner : crudités avec huile d'olive, légumes (verts, céleri, chou, champignons...) et viande, salade et fromage, eau non gazeuse.

Goûter : un fruit (pomme, orange…).

Dîner : Soupe de légumes, poisson, yaourt à 0% ou portion de fromage.

Shelton : les combinaisons alimentaires

Caractéristiques :

- **Durée du régime :** -
- **Efficacité :** variable ;
- **Rapidité :** variable ;
- **Effet yoyo :** important ;
- **Choix d'aliments :** poissons et fruits de mer, yaourts, fromages maigres, volailles et œufs fermiers, légumes, céréales, fruits, produits naturels ;
- **Aliments interdits :** sucre, thé, café, chocolat, boissons sucrées ou gazeuses ;
- **Aliments à surveiller :** viandes, beurre, huiles, fromages gras, produits laitiers, conserves, sel, produits transformés, alcools ;
- **Difficulté du régime :** contraignant ;
- **Diversité des recettes :** faible ;
- **Prix :** raisonnable ;
- **Exercice physique :** conseillé ;
- **Public :** inactifs, hommes et femmes.

Les origines

Le docteur Herbert Mc Golphin Shelton est un naturopathe hygiéniste américain. Il développe la théorie des combinaisons alimentaires et invente le premier régime dissocié en 1951 (*Combiner les aliments devient facile*). Ces principes font appel au fonctionnement des enzymes (milieu acide ou basique) et aux capacités biologiques de digestion et d'assimilation de notre corps. Il a écrit plus d'une quarantaine de livres et revues (Hygienic Review…) dans lesquels il s'oppose au système médical officiel, ce qui lui a valu d'avoir affaire avec la justice.

Les principes

Le régime est basé sur le principe des combinaisons alimentaires. Selon Shelton, un milieu acide est nécessaire pour absorber les protéines, tandis qu'un milieu basique permet d'absorber les glucides. La combinaison d'enzymes en milieu à la fois acide et basique provoquerait une mauvaise digestion et assimilation par l'organisme puisque celui-ci doit se fatiguer à fabriquer des acides et des bases pour essayer de digérer des aliments incompatibles. Cette incompatibilité pourra provoquer endormissement, lourdeur, ou gaz. Il est donc conseillé de se consacrer qu'à une seule catégorie d'aliments à chaque repas. Un aliment consommé isolément ne faisant pas grossir. Enfin, pour éviter d'accroître la glycémie et donc de fatiguer l'organisme, il faut remplacer le sucre par du fructose, du miel ou des féculents.

Les sept grandes règles du régime Shelton :

1) **La règle des combinaisons**

Les protéines se combinent avec les légumes, et jamais avec les féculents (glucides).
Les féculents se combinent avec les légumes, et jamais avec les protéines.
Les matières grasses font retarder la digestion.
Les fruits ne se combinent qu'avec d'autres fruits.

2) **Règle du temps**

Avant de consommer des féculents ou des fruits, après un repas de protéines, ou des protéines après un repas de féculents, il faut attendre 4 heures et même 7 heures si le repas contenait plus de 30% de matières grasses.
Après un repas de fruits, il faudra patienter 2 heures avant de consommer protéines, féculents ou légumes.

3) **Règle des fruits**

Les fruits acides et sucrés (melon…) ne se consomment pas ensemble. En règle générale, ils ne doivent pas être consommés à la fin d'un repas, pour éviter la fermentation dans l'estomac.

4) **Règle des jus**

Les jus de fruits peuvent être consommés avec des fruits. Les jus de légumes peuvent être consommés avec des protéines, légumes ou féculents.

5) **Règle des légumes**

Les légumes s'accommodent avec les protéines et les féculents.

6) **Règle du lait**

Le lait ne se mélange avec aucun autre *aliment*. Les produits laitiers doivent par ailleurs être évités par les adultes et les enfants de plus de 5 ans, car ils ne sont plus nécessaires et des intolérances peuvent rendre difficile son assimilation.

7) **Règle des boissons**

On peut boire à volonté, dès que la sensation de la soif se manifeste.

Les plus

✓ *Digestion*

La digestion est facilitée, les ballonnements dus à une digestion trop incomplète disparaissent. Ces avantages pourraient être simplement le résultat d'une baisse de l'apport calorique du fait de la monotonie des repas. Le régime évite l'intoxication du corps, responsable de maladies.

✓ *Perte de poids*

La perte de poids est importante, sans frustration puisqu'on peut manger à volonté.

Les moins

✓ *Mise en œuvre*

Le régime est socialement contraignant.

✓ *Effet yoyo*

Les fondements scientifiques ne sont pas fiables. La perte de poids peut s'expliquer par la monotonie des repas. Il est fort probable de reprendre du poids dès l'arrêt du régime avec un risque d'effet yoyo.

✓ *Carences*

Le régime peut provoquer des carences et aboutir à un déséquilibre alimentaire. Les fruits sont difficiles à caser entre 2 repas, on ne mange plus de protéines parce que l'on ne peut pas se passer de pain…

En savoir plus

Herbert M. Shelton, *L'Alimentation Supérieure*, Editions Aquarius
Herbert M. Shelton, *Les combinaisons alimentaires et votre santé*, Éditions de La Nouvelle Hygiène
Le Courrier du Livre.

Exemple de menu

Petit déjeuner : laitages.

Déjeuner : viande ou poisson, légumes verts.

Dîner : féculents et légumes.

Scarsdale : un régime draconien

Caractéristiques :

- **Durée du régime :** 14 jours puis phase de stabilisation ;
- **Efficacité :** 8 kilos ;
- **Rapidité :** oui ;
- **Effet yoyo :** important ;
- **Choix d'aliments :** moyen ;
- **Aliments interdits :** sucres, féculents et matières grasses, la plupart des laitages, jus de fruits, alcool, charcuterie ;
- **Aliments à surveiller (phase de stabilisation) :** œufs (trois par semaine), pain (deux tranches par jour), confitures sans sucre, noix, vin (120 ml par jour maximum) ;
- **Difficulté du régime :** très difficile ;
- **Diversité des recettes :** faible ;
- **Prix :** raisonnable ;
- **Exercice physique :** déconseillé pendant la phase d'amaigrissement ;
- **Public :** inactifs.

Les origines

Mis au point à la fin des années 70 par le cardiologue américain Tarnower, le régime Scarsdale est un régime hypocalorique strict, d'une durée de 14 jours. En soignant d'anciens prisonniers des camps du Vietnam, Scarsdale a révélé le rôle favorable de l'hyponutrition sur le système cardiovasculaire. Le régime Scarsdale a connu un grand succès dans les années 1980 et 1990.

Les principes

Grâce à une ration maximale de 1000 calories par jour, le régime Scarsdale permet de perdre 8 kilos en 2 semaines. Des menus sont élaborés à l'avance et à suivre scrupuleusement pendant 14 jours. Il est interdit de rajouter ou de retirer des aliments. Sucres, féculents et matières grasses sont interdits tandis que les légumes et les fruits sont privilégiés. Les fruits sont à consommer en dehors des repas. Le régime permet également de manger un peu de viande maigre et de poisson. Les produits laitiers sont limités et autorisés deux fois au cours des 2 semaines. La cuisson des aliments s'effectue sans matières grasses.

Après les deux semaines de régime amaigrissant, on suit un régime de stabilisation, dans lequel les rations caloriques augmentent. On peut alterner les deux régimes de façon permanente, en fonction de ses besoins.

Les étapes

✓ *La phase d'amaigrissement (2 semaines) :*

Pendant la phase d'amaigrissement, on suit de façon rigoureuse les menus préparés pour deux semaines. Entre les repas, on peut manger des carottes ou du céleri.

Les boissons sucrées sont à éliminer impérativement. Seuls le café, le thé, l'eau sont autorisés sans limitation. Pour assaisonner les salades, on utilisera uniquement du vinaigre et du citron.

Les matières grasses (huile, mayonnaise, beurre…) sont interdites et remplacées éventuellement par du citron dans la préparation ou la cuisson.

Les viandes sont très maigres, dégraissées et cuites sans matière grasse.

Il ne faut pas ajouter d'aliments à ceux indiqués dans les menus ni les substituer par d'autres. On n'est pas obligé de manger tous les aliments du menu et on peut même s'arrêter dès qu'on se sent rassasié, pour ne pas surcharger l'estomac !

Après deux semaines de ce régime, il faut suivre le régime de stabilisation

✓ *La phase de stabilisation ou de maintien*

Le régime de stabilisation permet de maintenir son poids après le régime d'amaigrissement. On peut manger un peu plus, tout en continuant à respecter encore quelques restrictions.

Les fruits et les légumes peuvent être mangés à volonté, notamment les carottes et le céleri. Les viandes maigres, poissons, seront cuits sans ajout de matière grasse, de préférence grillés. On peut également manger des crustacés et mollusques sans sauce grasse, des œufs, et tous les fromages maigres.

Les plus

✓ *Perte de poids*

Un régime alimentaire à faible teneur calorique est effectivement le meilleur moyen de perdre rapidement du poids, et permet de reprendre de meilleures habitudes alimentaires.

✓ *Source de protéines et fibres*

Le régime de maintien peut être suivi de manière permanente et privilégie les sources de protéines et de fibres, en évitant les sucres. On peut consommer les légumes à volonté.

✓ *Facilité*

Tous les menus sont conçus à l'avance, ce qui fait gagner du temps. De courte durée, le régime peut être suivi sans craquer.

Les moins

✓ *Phase 1 difficile*

Le nombre de calories est insuffisant et entraîne des carences, de la fatigue, des vertiges. Il peut être dangereux à long terme. Le régime est contraignant et nécessite de peser les aliments.

✓ *Déséquilibre*

La méthode ne permet pas une alimentation équilibrée puisqu'elle supprime les féculents (pâtes, riz, pommes de terre) et légumes secs et ne respecte pas les proportions de protides, lipides et glucides. Les carences en calcium et en acides gras essentiels entraînent des déséquilibres nutritionnels.

✓ *Effet yoyo*

La frustration permanente provoque une reprise des kilos très rapidement après l'arrêt, et un effet yoyo.

Les menus

Les menus se déclinent en plusieurs variations : classique, gourmet, exotique, économique et végétarien. **Petit déjeuner invariable :** café ou thé sans lait ni sucre, une tranche de pain complet, un demi-pamplemousse ou une petite orange ou une pomme.

Dîner de substitution : il peut remplacer n'importe quel autre dîner de la semaine : 1/2 tasse de fromage blanc, des fruits à profusion, 6 moitiés de noix.

Lundi

Déjeuner : viande froide au choix (poulet, veau, bœuf maigre, dinde, langue…), tomates (en salade, grillées ou en ragoût), café ou thé.

Dîner : poisson ou fruits de mer, salade combinée, pamplemousse ou autre fruit de saison, café ou thé.

Mardi

Déjeuner : salade de fruits (sans sucre ni aucune liqueur), café ou thé.

Dîner : viande grillée, légumes (concombre, macédoine, tomates, choux de Bruxelles, choux-fleurs, etc.), café ou thé.

Mercredi

Déjeuner : salade de thon (sans huile, assaisonnement au vinaigre ou citron), pamplemousse, melon ou autre fruit de saison, café ou thé.

Dîner : rôti d'agneau sans graisse, salade mixte (laitue, tomate, céleri) café ou thé.

Jeudi

Déjeuner : deux œufs avec un peu de sel et sans matière grasse, du fromage blanc, des haricots verts ou tomates, une tranche de pain, du café ou du thé.

Dîner : poulet (rôti ou cuit à la vapeur, sans la peau), épinards ou haricots verts, poivrons, café ou thé.

Vendredi

Déjeuner : fromages maigres (mozzarella, etc.), épinards, une tranche de pain, café ou thé.

Dîner : poisson ou fruits de mer, légumes frais, une tranche de pain, café ou thé.

Samedi

Déjeuner : salade de fruits sans sucre, café ou thé.

Dîner : poulet ou dinde rôtis sans la peau, salade de tomates et laitue, pamplemousse ou autre fruit de saison, café ou thé.

Dimanche

Déjeuner : poulet ou dinde (chaud ou froid), tomates, carottes, chou-fleur ou brocolis, pamplemousse ou autre fruit de saison, café ou thé.

Dîner : viande maigre (bœuf, veau) à volonté (sans graisse), salade mixte (tomate, laitue, céleri), café ou thé.

En savoir plus

Tarnower et Sinclair, *Scarsdale : le régime médical*, Editions de l'Homme.

Fit for Life : le régime anti-régime

Caractéristiques :

- **Durée du régime :** à vie ;
- **Efficacité :** 2 kg par semaine ;
- **Rapidité :** oui ;
- **Effet yoyo :** important,
- **Choix d'aliments :** fruits et légumes, céréales complètes, noix et graines,
- **Aliments à surveiller :** viande, œufs, produits laitiers, café et alcool,
- **Aliments interdits :** aliments en conserve, fruits séchés, aliments contenant des additifs chimiques, vinaigre, les boissons gazeuses,
- **Difficulté du régime :** assez facile,
- **Diversité des recettes :** aucune,
- **Prix :** raisonnable,
- **Exercice physique :** interdit ;
- **Public :** hommes et femmes (sauf femmes enceintes et personnes âgées et anémiées).

Les origines

Face à sa déception face à des régimes suivis, Harvey Diamond s'est mis à suivre des préceptes d'hygiène naturelle qui redonnent au corps un pouvoir d'auto guérison, et permet de perdre ses kilos superflus. Il se consacre alors à l'étude et à la promotion de cette méthode et publie en 1985, *Fit for Live*, qui est aujourd'hui devenu un best seller avec 12 millions d'exemplaires vendus.

Les objectifs sont la perte du poids, mais aussi l'augmentation de l'énergie. En éliminant les toxines, l'organisme se purifie et se soigne naturellement.

Le régime repose sur le principe des combinaisons alimentaires. Certaines catégories d'aliments peuvent contribuer à la prise de poids s'ils sont mélangés. Les fruits doivent se consommer seuls, trois heures avant ou après les repas.

Les aliments à haute teneur en eau doivent être privilégiés (environ 70 % des aliments consommés). Les aliments concentrés (viande, volaille, poisson, œufs, légumineuses, noix, graines, produits céréaliers) doivent être consommés seuls ou avec des légumes. La digestion des protéines nécessite en effet un milieu acide tandis les glucides nécessitent un environnement alcalin. En perturbant la digestion, les mélanges perturbe l'élimination des déchets et entraîne le stockage des graisses.

Les légumes permettent d'éliminer les toxines. La consommation de matières grasses et de produits laitiers est limitée. Les aliments raffinés, source de toxines sont interdits. Enfin, l'eau est déconseillée pendant les repas pour ne pas ralentir la digestion par les sucs gastriques.

Il faut respecter les trois rythmes de l'organisme : cycle d'élimination des déchets (le matin), cycle de consommation avec ingestion et digestion (de midi à 20h), cycle d'assimilation avec absorption et utilisation (de 20h à 4h du matin).

Les plus

✓ *A l'écoute de son corps*

Le régime nécessite d'être à l'écoute de sa faim, et des besoins de son organisme. On n'a pas besoin de calculer les calories.

✓ ***Vitamines et minéraux***

Le régime est riche en vitamines, minéraux et fibres.

Les moins

✓ ***Difficulté***

En limitant l'apport de protéines, on risque de ne pas être rassasié. Les restrictions par rapport aux combinaisons alimentaires peuvent rendre le régime monotone et difficile à suivre à l'extérieur.

✓ ***Carence***

Il existe des risques de carences en nutriments en raison des restrictions en matière de combinaisons alimentaires qui réduisent la variété. De plus, la consommation de produits laitiers, la viande, les œufs est très réduite, ce qui peut provoquer une fonte des muscles et des carences en fer, en vitamine B12 ou en vitamine D.

En savoir plus

H. Diamond, *Les secrets de Fit for Life. Votre poids santé pour la vie*, Libre Expression.
Diamond H., Diamond M., *Le régime Fit for Life. 4 semaines de menus et leurs recettes*, Libre Expression.

Menu type

Petit déjeuner : fruits frais et jus de fruits.

Déjeuner : Jus de légumes frais et salades, légumes cuits vapeur, pain, pomme de terre et légumes secs.

Dîner (avant 20 h) : Viande, poulet, poisson, produits laitiers.

Hollywood ou le régime fruits

Caractéristiques :

- **Durée du régime :** une semaine puis stabilisation ;
- **Efficacité :** 3 à 5 kg ;
- **Rapidité :** oui ;
- **Effet yoyo :** important ;
- **Choix d'aliments :** faible ;
- **Aliments privilégiés :** fruits à volonté ;
- **Aliments interdits :** féculents, céréales, viande, banane ;
- **Aliments à surveiller :** viande, poisson, laitages ;
- **Difficulté du régime :** élevée ;
- **Diversité des recettes :** faible ;
- **Prix :** raisonnable ;
- **Exercice physique :** -
- **Public :** inactifs.

Le « régime Hollywood » ou cure de fruits consiste à ne manger que des fruits pendant une semaine. Adopté par les actrices dans les années 80 pour perdre du poids rapidement avant un tournage, le régime a été popularisé par le livre de Mazel July, *Le régime Hollywood* (Solar). La consommation exclusive de fruits, pauvres en calories, permet bien sûr une perte de poids rapide, mais elle est aussi dangereuse en raisons des carences. Des variantes ont vu le jour par la suite, telles que le régime pamplemousse, ananas, raisin, ou le régime Atkins.

Les principes

Les fruits pauvres en calories et riches en fibres et vitamines peuvent être consommés à volonté sauf la banane, riche en sucre. Les fruits privilégiés sont les fruits exotiques qui auraient des propriétés brûle graisse comme l'ananas, le pamplemousse, la papaye, la pastèque. Après une semaine de cure, les autres aliments (féculents, céréales, viande) seront réintégrés progressivement à raison d'une à deux fois par semaine puis à raison d'un ou deux repas complets par semaine. Le poisson, les laitages et les viandes blanches pourront être réintroduits la semaine suivante.

Les plus

✓ *Perte de poids*

L'efficacité en termes de poids est évidente et spectaculaire dès les premiers jours. La digestion est rapide. Les fruits sont intégrés facilement par l'organisme

✓ *Simplicité*

Le régime est simple à suivre. Il suffit de consommer des fruits.

✓ *Détoxification*

Le régime, qui s'apparente au jeûne, apporte une action dépurative qui nettoie l'organisme.

Les moins

✓ *Carence*

Le régime Hollywood peut être dangereux, car il est déséquilibré et provoque à long terme des carences en vitamines, en protéines et lipides, des nutriments essentiels à l'organisme. Une grande fatigue entraînée par un état de dénutrition avec fonte de la masse musculaire, anémie…

✓ *Frustration*

La monotonie et la faim entraînent un sentiment de frustration qui est souvent source d'abandon et même de troubles du comportement alimentaire. L'effet yoyo est inévitable en reprenant une alimentation normale.

✓ *Troubles*

Les intestins peuvent être irrités par un excès de fibres alimentaires. La consommation exclusive de glucides peut entraîner des troubles importants.

A retenir

A utiliser avec parcimonie pour une action de désintoxication digestive à très court terme.

Exemple de menu

Lundi

Ananas du matin au soir (un fruit toutes les 2 heures).

Mardi

Papayes ou pommes le matin, ananas le midi, pommes ou mangues le soir.

Mercredi

Pommes ou kiwis le matin, ananas le midi, pommes ou kiwis le soir.

Jeudi

Pastèques ou framboises.

Vendredi

Pastèques le matin, abricots le midi, myrtilles ou cassis le soir.

Samedi

Pruneaux le matin, ananas le midi, pastèques le soir.

Dimanche

Pastèques ou pommes du matin au soir (un fruit toutes les 2 heures).

En savoir plus

Mazel J., *Le régime Hollywood*, Editions Solar.

L'hyperprotéiné : des résultats de courte durée

Caractéristiques :

- **Durée du régime :**
- **Efficacité :** de 7 à 9 kilos par mois ;
- **Rapidité :** oui ;
- **Effet yoyo :** important ;
- **Choix d'aliments :** monotone ;
- **Aliments privilégiés :** protéines (poissons et fruits de mer, viandes maigres de préférence, produits laitiers à 0% nature) et légumes verts ;
- **Aliments à surveiller :** fruits et légumes trop sucrés (banane, raisin, carotte...) ou riches en graisses (avocat, oléagineux...) ;
- **Aliments interdits :** aliments frits, la charcuterie, les friandises, et les gâteaux, les sucres ;
- **Difficulté du régime :** difficile ;
- **Diversité des recettes :** faible ;
- **Prix :** élevé ;
- **Exercice physique :** oui ;
- **Public :** actifs, adultes ;
- **People :** Heidi Klum.

Les origines

Né des recherches du professeur Blackburn de l'université d'Harvard aux Etats-Unis, dans les années 60, le régime hyperprotéiné propose de perdre du poids tout en renforçant sa tonicité et sa masse musculaire. Permettant une perte de poids très rapide, il a connu un grand succès, notamment auprès du monde médical.

Principes

Ce régime s'adresse aux personnes qui souhaitent maigrir très rapidement. La diète consiste en un apport quasi exclusif de protéines qui permet de faire fondre la masse graisseuse tout en maintenant la masse musculaire. Les fruits et légumes sont autorisés à volonté pour apporter les vitamines et minéraux essentiels à la santé.

L'alimentation peut être remplacée ou complétée par des poudres à base de protéines, vitamines et minéraux. Il est préférable de suivre ce régime très restrictif seulement sur une courte durée et de le faire encadrer par un médecin qui pourra prescrire les compléments alimentaires nécessaires

Les étapes

✓ *1. La diète protéinée*

L'alimentation se compose exclusivement d'aliments riches en protéines (poissons et fruits de mer, viandes maigres de préférence, produits laitiers à 0% nature) et de légumes verts à volonté. Les protéines ne pouvant être stockées par l'organisme seront éliminées. De plus l'assimilation des protéines nécessite une grande consommation d'énergie. L'organisme va puiser dans les réserves de gras. Enfin les protéines vont produire des corps cétoniques qui calment la sensation de faim et procure une sensation de bien-être, évitant ainsi le grignotage.

✓ *2. L'étape de réintroduction*

Les glucides sont réintroduits progressivement dans l'alimentation. On doit toutefois éviter de consommer les fruits et légumes trop sucrés (banane, raisin, carotte...) ou riches en graisses (avocat, oléagineux...)

✓ *3. L'étape de stabilisation*

C'est une nouvelle hygiène de vie à suivre en permanence et basée sur l'équilibre alimentaire. Les produits préparés, les aliments frits, la charcuterie, les friandises, et les gâteaux sont à éviter.

Les plus

✓ *Perte de poids et satiété*

La perte de poids (7 à 9 kilos en un mois) est rapide et encourageante. De plus, les protéines apportent un sentiment de satiété immédiat. Les corps cétoniques apportent une sensation de bien-être (effet anorexigène et psychostimulant des corps cétoniques).

✓ *Facilité*

C'est un régime relativement simple à appliquer.

✓ *Silhouette*

La masse musculaire est renforcée au détriment des tissus adipeux. .

Les moins

✓ *Effets secondaires*

Des effets secondaires sont observés chez certains patients : céphalées (maux de tête), fatigue du cœur et des reins, perturbation du cycle menstruel.

✓ *Prix*

Le prix des protéines et des compléments vitaminiques est élevé. C'est un régime qui coûte donc cher.

✓ *Effet yoyo*

La phase de réintroduction s'accompagne souvent d'une reprise de poids, et même plus (effet yoyo). Il est préférable de se faire aider par un diététicien.

✓ *Carences*

Les risques de dénutrition sont importants. Il est nécessaire de prendre de compléments vitaminiques et minéraux.

Exemple de menu :

Petit déjeuner : café avec sucrette, barre hyperprotéinée au chocolat.
Déjeuner : 2 tranches de jambon blanc, 200g de salsifis, salade, yaourt 0%.
Dîner : 1 tomate, 200g de colin, 200g de légumes, melon.

En savoir plus

Docteur Tran Tien Chanh et Bottet, *La Diète protéinée* , Editions Michel Hagège.
Anne Dufour et Patricia Riveccio, Mincir protéines : *100 recettes gourmandes*, Editions Leducs.

Low carb : attention danger

Caractéristiques :

- **Durée du régime :** -
- **Efficacité :** 4 à 7 kg par mois ;
- **Rapidité :** élevée ;
- **Effet yoyo :** important ;
- **Choix d'aliments :** faible
- **Aliments interdits :** les sucres rapides, les fruits, les légumineuses et les féculents, les produits laitiers ;
- **Aliments à surveiller :** les glucides à IG élevés, les acides gras saturés ;
- **Difficulté du régime :** difficile ;
- **Diversité des recettes :** moyenne ;
- **Prix :** moyen ;
- **Exercice physique :** aucun ;
- **Public :** personne.

Les origines

Le régime Low Carb s'inspire du régime Atkins, lancé dans les années 70 par la cardiologue Atkins. Le régime a obtenu un grand succès aux Etats-Unis et en France. Des produits sont labellisés « Low carb », remplaçant les produits allégés des rayons des supermarchés. De nombreux médecins l'ont surnommé le "passeport pour l'infarctus."

Les principes

Comme son nom l'indique (« low carbohydrates »), le régime est pauvre en glucides. Tous les sucres, simples ou complexes (comme le riz, les pâtes, le pain…) sont éliminés, car ils sont responsables de la prise de poids. Les résultats sont rapides grâce à une perte en graisse et en eau, mais les conséquences peuvent être dangereuses.

Les sucres rapides, les fruits, les légumineuses et les féculents, les produits laitiers et même certains légumes (betterave, carotte) sont interdits

Les plus

On perd très rapidement du poids (de la graisse et de l'eau) comme avec n'importe quel régime hypocalorique.

Le régime est facilement réalisable chez soi comme à l'extérieur.

Les moins

✓ ***Frustration***

La frustration est importante et peut entraîner une reprise de poids rapide.

✓ ***Effets secondaires***

La faiblesse des rations caloriques peut provoquer vertiges, nausées, brûlures d'estomac, mauvaise haleine.

La faible consommation de fruits et légumes entraîne des carences en fibres, en vitamines, sels minéraux.

✓ ***Des effets négatifs sur le cerveau***

La revue scientifique *Appetite* a récemment publié les résultats d'une recherche comparant le régime amaigrissant *low-carb* et un régime hypocalorique mais autorisant les glucides. Les cobayes qui ont suivi le premier régime une capacité de mémoire et des performances cognitives inférieures. *"Les régimes low-carb et no-carb ont le plus fort potentiel d'impact négatif sur la pensée et la cognition,"* commente l'un des chercheurs Holly A. Taylor, professeur de psychologie. *"Le cerveau a besoin de glucose et les régimes faibles en glucides peuvent nuire à l'apprentissage, la mémoire et la pensée"*, ajoute-t-elle. Heureusement, les résultats reviennent à la normale lorsque les glucides sont réintroduits dans l'alimentation.

Menu

Petit déjeuner : salade verte avec huile d'olive et jus de citron, 1 œuf et une part d'emmental.

Déjeuner : bœuf avec légumes cuits à la vapeur, une part d'emmental.

En cas : céleri et du chou-fleur crus.

Dîner : salade verte avec avocat, olives noire, huile d'olive et citron, truite grillée.

Petit déjeuner : une demi tasse de céréales *low carb* riches en fibres, une demi tasse de lait, 1/8 de melon,

Déjeuner : salade mixte : salade verte, ½ avocat, Graines de tournesol, protéines (boeuf, poulet ou poisson ou tofu).

Dîner : poulet et légumes, ricotta.

A retenir

Les lipides et les glucides sont nécessaires à l'équilibre alimentaire. Si l'on suit les recommandations des nutritionnistes recommandent environ 55% de glucides, 15% de protéines, et 30 % de lipides. Pour ne pas dépasser ces proportions, il faut apprendre à reconnaître les différentes catégories dans l'alimentation. Le cerveau et les cellules nerveuses utilisent comme principale source de combustible, le glucose.

En savoir plus :

Marion Grillparzer, *Régime Low Carb, Réduire les glucides*, éditions Vigot.

Pritikin : un régime anti-cholestérol

Caractéristiques :

- **Durée du régime :** 1 mois ;
- **Efficacité :** variable ;
- **Effet yoyo :** non ;
- **Choix d'aliments :** varié ;
- **Aliments privilégiés :** fruits, légumes, légumes secs, céréales complètes, laitages maigres, herbes et épices, noix, graines, café et thé, blanc d'œuf cuit, poissons et fruits de mer, viande blanche ;
- **Aliments à surveiller :** huiles végétales, sucres raffinés, sel, condiments, jus de fruits, les fruits séchés ;
- **Aliments interdits :** graisses animales, huiles de palme et de coco, beurre, chocolat, margarine, huiles hydrogénées, viandes grasses, charcuteries, produits laitiers entiers, jaune d'œuf, fritures, desserts, vinaigrettes, mayonnaise ;
- **Difficulté du régime :** facile ;
- **Diversité des recettes** :
- **Prix :** moyen ;
- **Exercice physique :** encouragé ;
- **Public :** hommes et femmes, actifs.

Les origines

Nathan Pritikin inventa l'idée de ce régime pour lutter contre ses problèmes cardio-vasculaires. Ses artères étaient dangereusement atteintes par le cholestérol. Il réalisa alors un programme composé d'exercice physique (avec des marches de 5 à 6 km par jour) et d'une alimentation très faible en matières grasses. Le régime lui permit de rétablir son taux de cholestérol et de perdre du poids. Poursuivant ses recherches, il fonda le Pritikin Longevity Center, à Santa Monica, en Californie. Son ouvrage, *The Pritikin diet and exercice*, s'est vendu à des millions d'exemplaires. Les principes alimentaires reposent sur une modification du style de vie et des habitudes alimentaires grâce à une alimentation très pauvre en matières grasses et protéines et riche en glucides (75 % à 80 %) et fibres alimentaires.

Les principes

Les mécanismes de survie incitent les individus à se tourner vers des nourritures riches en graisses et à les stocker pour se protéger de la famine. De nos jours, ces réflexes (le « fat instinct ») ne sont plus adaptés à notre mode de vie et nous conduit à manger plus et à limiter nos activités physiques. Le fils de Nathan Pritikin, Robert Pritikin, poursuit les recherches en matière d'habitude alimentaire et publie *The Pritikin Weight Loss Breakthrough – 5 Easy Steps to Outsmart Your Fat Instinct* où il décrit comment déjouer les pièges de l'instinct de gras. Selon lui, il faut diminuer les matières grasses et augmenter les glucides complexes qui procurent un sentiment de satiété. Les études scientifiques ont confirmé le rôle des ces aliments dans la réduction du taux de cholestérol.

Les moins

✓ *Carences*

Le régime Pritikin est pauvre en lipides (jusqu'à 10 % seulement). De plus, le régime ne contient peu d'acides gras mono-insaturés, qui ont un rôle essentiel dans la prévention des maladies cardiovasculaires.

✓ *Difficulté*

Il est difficile de faire ou de trouver des plats savoureux avec une si faible quantité de matières grasses.

Avantages

✓ *Satiété et perte de poids*

Les fibres et les protéines ont un effet rassasiant bien connu, et facilite le processus de perte de poids.

Menu type

Petit déjeuner : orange, thé ou café, pain complet, fromage allégé.
Collation : bouillon de légumes.
Déjeuner : haricots verts, pâtes complètes, tomate, lait écrémé.
Collation : carottes et céleris crus.
Dîner : salade, deux blancs d'œufs et légumes cuits à la vapeur.

En savoir plus

Nathan Pritikin, *Pritikin Program for Diet and Exercise*, Bantam.

Robert Pritikin, *Pritikin Weight loss breakthrough*, Signet.

Crudivore : les aliments vivants

Caractéristiques :

-      **Durée du régime :** -
-      **Efficacité :** variable ;
-      **Rapidité :** variable ;
-      **Effet yoyo :** important ;
-      **Choix d'aliments :** légumes crus, fruits frais ou séchés ; miel non pasteurisé, légumineuses et céréales germées, pain germé, laits végétaux, noix et graines crues ou germées, huiles première pression à froid, algues, viande et poisson crus, jus de germination ;
-      **Aliments interdits :** porc, graisses cuites, aliments frits, grillés ;
-      **Aliments à surveiller :** viande (volaille, œufs, poisson et produits laitiers) ;
-      **Difficulté du régime :** difficile ;
-      **Diversité des recettes** : moyenne ;
-      **Prix** : moyen ;
-      **Exercice physique :** -
-      **Public :** hommes et femmes très motivées.

Les origines

Le régime crudivore était déjà pratiqué chez les Esséniens vers 100 après J.-C. Les membres de cette ancienne secte juive bénéficiaient, paraît-il, d'une exceptionnelle longévité (jusqu'à 120 ans). Au XXe siècle, il a été remis au goût du jour à l'Institut de santé Hippocrate, fondé par Ann Wigmore et Viktoras Kulvinkas. On peut distinguer plusieurs groupes de crudivoristes : les granivores (qui consomment surtout des graines), les frugivores (qui consomment surtout des fruits) ou les liquidariens (qui consomment surtout des jus).

Les principes

Les aliments sont consommés crus pour bénéficier le plus possible de leurs vitamines et favoriser l'élimination des déchets. La cuisson au dessus de 40 °C est interdite, car elle entraîne des résidus toxiques et détruit les enzymes. Le but est de prolonger la durée de vie en bonne santé, d'éviter certaines maladies telles que les cancers, arthrite, diabète, maladies cardiovasculaires, et de favoriser la guérison.

L'alimentation crudivore est composée d'aliments crus, biologiques, de préférence alcalins, et qui n'ont subi aucune transformation. La germination et la fermentation sont autorisées. Le menu se compose principalement (environ 2/3) de crudités et fruits frais. Souvent végétalien, le régime ne comprend aucun aliment du règne animal. Cependant, certains autorisent un peu (environ 1/3) de viande (volaille, œufs, poisson et produits laitiers). Les préparations cuisinées, à base de produits céréaliers et les féculents, sont interdites. Les graisses cuites sont également bannies.

Enfin, le régime interdit les mélanges de certains groupes tels que les protéines avec les féculents, ou les fruits très sucrés avec les fruits acides.

Les plus

✓ *Perte de poids et satiété*

Le régime entraîne une perte de poids importante avec sensation de satiété, grâce à des aliments riches en fibres et en protéines, et une alimentation non restrictive d'un point de vue quantitatif.

✓ *Antioxydants et vitamines*

Le régime permet un apport élevé d'antioxydants, vitamines et minéraux habituellement détruits par la cuisson (sauf pour certains aliments).

✓ *Digestion*

La préservation des enzymes alimentaires allège le travail des organes du système digestif et du pancréas. Le métabolisme serait ainsi plus résistant aux allergies, à l'acné, aux infections ou aux coliques.

Les moins

✓ *Carences*

Le régime peut conduire à des carences en vitamine B12. Des suppléments vitaminiques sont conseillés. Le régime est déconseillé aux enfants et aux adolescents, aux femmes enceintes parce que les apports énergétiques sont assez limités.

✓ *Digestion*

Le régime crudivore peut provoquer des problèmes digestifs. La fraîcheur de certains aliments crus doit être particulièrement surveillée (viande, poissons, coquillages et crustacés).

✓ *Difficulté*

Le régime est difficilement applicable à l'extérieur et monotone. On peut trouver dans les restaurants végétariens quelques plats adaptés à ce régime. Le régime est difficile à suivre dans les repas en famille ou entre amis.

En savoir plus

Colombe Plante, *L'alimentation vivante, une révolution pour votre santé*, édition Ada.
Laurin Solange, *Alimentation vivante*, éditions Publistar.
Letendre, Denis, *Manger vivant pour vivre mieux et plus longtemps*, éditions Jalinis.

Exemple de menu

Petit déjeuner : Jus d'herbe de blé, fruits frais, céréales germées, lait d'amande.

Déjeuner : Légumes fermentés, salade de lentilles germées à l'avocat, thé vert.

Goûter : fruits frais et graines de tournesol.

Dîner : soupe crue aux carottes, quinoa germé, huile d'olive, algues, tisane.

Végétarien : éliminer les protéines animales

- **Durée du régime :** -
- **Efficacité :** faible ;
- **Rapidité :** lent ;
- **Effet yoyo :** non ;
- **Aliments à privilégier** : protéines végétales (légumineuses, graines, tofu, soja, noix, levure alimentaire et produits céréaliers) fruits et légumes, produits laitiers (seulement pour les végétariens) ;
- **Aliments interdits :** viandes, volailles, poissons et fruits de mer (végétariens), lait et produits laitiers (pour les végétaliens) ;
- **Difficulté du régime :** difficile pour les végétaliens ;
- **Diversité des recettes** : faible ;
- **Prix :** moyen ;
- **Exercice physique :** -
- **Public :** hommes et femmes, méthodiques ;
- **People :** Julia Roberts, Christina Aguilera, Cameron Diaz.

Les origines

Le régime végétarien est un régime très ancien, déjà pratiqué par certains philosophes grecs de l'Antiquité, notamment Pythagore, « père » du végétarisme. De grands scientifiques, politiciens et artistes l'ont pratiqué comme Léonard de Vinci, Benjamin Franklin, Mahatma Gandhi et Albert Einstein. Le régime a été plus largement connu depuis deux décennies avec des auteurs tels que Victoria Harrison, Brenda Charbonneau Davis ou Laura Landra. Le régime peut être pratiqué par conviction morale, religieuse, écologique ou simplement nutritionnelle.

Les principes

Le régime végétarien consiste à éliminer les protéines animales que l'on trouve dans les viandes, volailles, poissons et fruits de mer.
- le lacto-ovo-végétarisme permet la consommation d'œufs et de produits laitiers ;
- le lacto-végétarisme permet la consommation de produits laitiers, uniquement ;
- le végétalisme consiste pour sa part à éliminer toute forme d'aliments d'origine animale ;

-    Enfin, le semi-végétarisme autorise la consommation du poisson et des fruits de mer.
Pour remplacer les protéines animales, ce type de régime préconise une consommation de protéines
végétales à tous les repas. Ces protéines sont présentes dans les légumineuses, les graines, le tofu, le
soja, les noix, et les produits laitiers. Les protéines végétales ne sont pas complètes, mais
l'organisme reconstitue des protéines complètes en combinant plusieurs aliments au cours de la
journée (lentilles et riz, …). Les fruits et légumes peuvent être consommées à volonté, de préférence
issus de l'agriculture biologique.

Les objectifs de ce régime sont la prévention des maladies (telles que les troubles cardiovasculaires,
le diabète, les infections, la constipation, l'obésité, l'hypertension), mais aussi le respect des droits
des animaux, la protection de l'environnement et enfin, certains préceptes religieux

Les plus

✓ *Satiété et bien-être*

L'alimentation est riche en fibres alimentaires et procure un effet de satiété.

✓ *Baisse des risques cardiovasculaires*

Le régime végétarien contribue à diminuer les troubles cardiovasculaires et le taux de cholestérol, et
prévient l'hypertension, l'ostéoporose et le diabète de type 2.

Les moins

✓ *Difficulté*

Il faut apprendre à cuisiner des légumineuses, des noix, des graines que l'on a peu l'habitude de
préparer. Le régime végétalien est le plus difficile à suivre et nécessite la surveillance d'un apport
adéquat en protéines. A l'extérieur, il est difficile à suivre, car il n'y a pas toujours des noix, graines
et légumineuses à la disposition des clients, à moins d'aller au restaurant végétarien.

✓ *Risque de carences*

Les végétariens tendent à manquer de vitamine B12, fer et zinc. Des suppléments en levure, les
produits laitiers et les œufs sont à préconiser pour assurer une source constante. Les personnes
végétariennes peuvent également manquer de fer, c'est pourquoi l'on recommande d'associer les
aliments riches en vitamines C afin d'améliorer l'absorption du fer. Les aliments riches en fer sont le
soja, les graines de citrouille, les haricots blancs et rouges, les lentilles, les pois chiches, le tofu…
Les germes de blé, les graines de sésame et les légumineuses permettent de lutter contre les déficits

en zinc. Les aliments enrichis de calcium, les feuilles de navet, le chou vert frisé, les feuilles de moutarde, les haricots blancs, le brocoli et les amandes sont de bonnes sources de calcium pour les végétaliens qui ne consomment pas de produits laitiers. On trouve les acides gras oméga-3 dans les végétaux (graines de lin, de chanvre, huile de canola, algues …), et dans les œufs. Enfin, un supplément de vitamine D est recommandé.

En savoir plus

Dr François Couplan, *Sans Viande et très heureux. Mieux vivre en devenant végétarien*, édition Edisud.
Tulasne Patricia, Roy Anne-Marie, *Végétariens mais pas légumes*, éditions Publistar.
Melina Vesanto, Harrison Victoria, Charbonneau Davis Brenda, *Devenir végétarien*, éditions de l'Homme.

Exemple de menu Régime végétarien :

Petit déjeuner : lait, beurre d'arachide, banane
Collation : un fruit
Déjeuner : salade de légumes, huile d'olive, vinaigre balsamique, lentilles, gruyère, pain de seigle, yaourt et noix du Brésil
Collation : noix de soja, prune
Dîner : lait, pâtes, fromage, brocoli vapeur, fraises

Régime végétalien :

Petit déjeuner : lait, beurre d'arachide, banane, boisson de soja.
Déjeuner : Salade de légumes variés, huile d'olive et vinaigre balsamique, levure alimentaire, lentilles, fromage de soya, pain de seigle, pomme.
Dîner : jus de tomate, tofu et légumes, huile d'olive, quinoa, amandes et abricots.

Acido-basique : plus d'éclat

Caractéristiques :

- **Durée du régime :** à vie ;
- **Efficacité :** variable ;
- **Rapidité :** variable ;
- **Effet yoyo :** faible ;
- **Choix d'aliments :** varié ;
- **Aliments privilégiés :** fruits et légumes, noix, fruits à écale et graines, thé vert, soja et huiles végétales, légumineuses, grains entiers (sarrasin, quinoa, riz brun, etc.) ;
- **Aliments interdits :** café, alcool, boissons gazeuses ;
- **Aliments à surveiller :** viande, sucre, féculents, café, alcool, produits laitiers ;
- **Difficulté du régime :** facile ;
- **Diversité des recettes** : grande ;
- **Prix** : raisonnable ;
- **Exercice physique :** conseillé ;
- **Public :** adultes hommes et femmes ;
- **People :** Kirsten Dunst.

Les origines

Le régime acido-basique s'inspire des premières doctrines holistiques de Franz Xaver Mayr et Howard Hay, et des travaux du français Louis-Claude Vincent, qui permettent de mesurer le pH du sang. Le Dr Catherine Kousmine ou Christopher Vasey sont les premiers à développer le concept du régime acido-basique et seront suivis de nombreux auteurs. Le régime est adopté aujourd'hui par de nombreux people (Kirsten Dunst…) et fait fureur aux Etats-Unis.

Les principes

L'alimentation et le mode de vie occidentaux, trop riche en aliments acidifiants et trop faible en aliments alcacifiants, détruisent l'équilibre acido-basique de l'organisme provoquant l'« acidose » des tissus. L'acidose placerait l'individu dans un état de stress permanent, et se traduirait notamment par de la fatigue, une perte des tissus musculaires, de l'hypertension, de l'ostéoporose, des perturbations du sommeil et des kilos superflus. De plus la neutralisation des acides mobilise les réserves minérales, ce qui peut entraîner une déminéralisation des os et des dents. Le régime acide-base propose de retrouver l'équilibre en rétablissant l'acidité de l'organisme. L'alimentation doit se composer à 70 % d'aliments alcanisants (fruits et légumes, noix, thé vert, soja et huiles végétales). Les viandes, produits laitiers, pains, desserts et autres aliments de type acide doivent être diminués pour ne représenter que 30 % des repas.

Les étapes

Pour savoir si l'on souffre d'acidose chronique, on peut évaluer le pH de son urine en utilisant des papiers réactifs.

✓ *1. Choisir une alimentation majoritairement alcaline.*

Pour un pH sain compris entre 6,5 et 7,5, une consommation de 60 à 65 % d'aliments alcalins suffit à maintenir le pH. Un pH modérément acide (de 6 à 6,4) à extrêmement acide (5, à 5,9) se corrigera avec une consommation d'aliments alcalins plus élevée, soit environ 80 % et un pH extrêmement acide (5 à 5,9).

Il faudra donc limiter les protéines provenant des viandes (choisir de préférence la volaille, les œufs et le poisson) et les remplacer par des légumineuses, produits laitiers et noix (contenant aussi des protéines et des minéraux alcalins comme le potassium, le calcium ou le magnésium). On augmentera les légumes, qui sont alcalifiants et riches en calcium, magnésium et potassium.

✓ *2. Faire une cure de citron*

Le citron, qui contient beaucoup d'acide citrique, pourra également faire baisser le taux d'acidose.

✓ *3. S'oxygéner*

En augmentant le rythme cardiaque, l'activité physique permet d'éliminer des acides à travers l'expiration et la transpiration, favorisant ainsi l'équilibre acido-basique.

✓ *4- Prendre des suppléments de minéraux*

Les suppléments de minéraux alcalins (citrate de magnésium, citrate de potassium, etc.) peuvent rétablir le taux d'acidité chez les personnes souffrant de carences en minéraux. Il est nécessaire de consulter un professionnel qui prescrira un traitement adapté. Les bicarbonates peuvent nuire à l'absorption des minéraux.

Les plus

✓ *Facilité*

Le régime est facile à suivre chez soi ou à l'extérieur si l'on apprécie les aliments végétaux (fruits, légumes, graines, légumineuses).

✓ *Perte de poids*

En mangeant davantage de fruits et de légumes, et moins d'aliments raffinés, le régime de l'équilibre acido-basique contribue naturellement à la perte de poids.

✓ *Satiété et bien-être*

Le régime assure un bon équilibre entre les catégories d'aliments. En apportant suffisamment de protéines et de fibres, le régime procure un effet de satiété. De plus, on se sent plus en forme et donc on ne ressent pas le besoin de manger pour se donner de l'énergie.

✓ *Des études scientifiques*

Plusieurs études scientifiques ont démontré que le mode d'alimentation actuelle produit une acidose métabolique chronique de faible niveau, et le rôle de la consommation de fruits et de légumes dans la prévention de l'ostéoporose.

Les moins

✓ *Irritations des intestins*

L'augmentation des aliments alcalins riches en fibres doit être progressive pour ne pas irriter l'intestin.

✓ *Enfants*

Enfants et adolescents doivent être bien suivis par une nutritionniste pour adapter le régime à leurs besoins

Exemple de menu

Petit déjeuner

Crêpe de sarrasin, beurre d'amande, sucre brut, framboises et mûres, thé vert.

Déjeuner

Salade de légumes, graines de citrouille, huile d'olive, jus de citron et sel de mer, saumon et riz brun.

Dîner

Jus de betterave, purée de pois chiches, riz brun, brocoli et chou-fleur, pommes, lait.

En savoir plus

P-G Besson, *Acide-base : Une dynamique vitale*, éditions Jouvence.

C. Vasey, *Gérer votre équilibre acido-basique. Une vision complète*, éditions Jouvence.

Groupe sanguin : un retour aux sources

Caractéristiques :

- **Durée du régime :** -
- **Efficacité :** environ 300 grammes par semaine ;
- **Rapidité :** faible ;
- **Effet yoyo :** faible ;
- **Choix d'aliments :** faible ;
- **Aliments interdits :** en fonction de son groupe aliments bénéfiques, neutres ou à éviter ;
- **Difficulté du régime :** importante (nombreux interdits) ;
- **Diversité des recettes** : moyenne ;
- **Prix :** raisonnable ;
- **Exercice physique :** conseillé ;
- **Public :** hommes et femmes, actifs ;
-

Les origines

James d'Adamo, docteur en naturopathie, observe les différentes réactions des patients soumis à un régime végétarien en cure thermale et en déduit l'existence de besoins nutritionnels différents. Il analyse le sang des patients, principal vecteur des nutriments, et l'effet de différents régimes sur eux. Son livre *One man's food* évoque ses premières hypothèses qui seront développées et diffusées auprès d'un large public par son fils James d'Adamo, notamment à travers le livre *4 groupes sanguins, 4 régimes.*

Les principes

Chaque groupe sanguin détient une composition chimique et des antigènes particuliers que l'alimentation pourrait stimuler. Certains aliments entraînent la production d'anticorps, source de désordre organique. Selon D'Adamo. En effet, les aliments qui contiennent des lectines stimulent plusieurs antigènes du sang, et crée des agglutinations nocives à l'intérieur ou autour d'un organe. Cette action immunitaire pourrait entraîner la fatigue, les problèmes intestinaux, le cancer, les maladies cardiovasculaires, le gain de poids, les allergies, les migraines ou le diabète.

Le régime consiste à suivre les recommandations spécifiques à son groupe sanguin correspondant l'alimentation de chaque époque.

Chaque groupe est en effet, selon D'Adamo, apparu à une époque à laquelle correspond une alimentation :

- Le groupe sanguin O, correspond à l'alimentation des hommes chasseurs de 50000 ans avant JC. Les personnes de ce groupe devraient donc respecter une alimentation riche en protéines animales, qui exclut les céréales, les lentilles, les pommes de terre, les produits laitiers, le porc.

- Le groupe sanguin B correspond à l'alimentation des hommes vivant en 10000 ans avant JC, des nomades originaires d'Asie Centrale. Les personnes de ce groupe apprécieront une alimentation variée composée à la fois de légumes, viande, œufs, ou produits laitiers.

- Le groupe A correspond aux sédentaires en 8000 avant JC. Les fruits, les légumes, les céréales sont autorisées tandis que la viande et les produits laitiers sont à éviter.

- Enfin le groupe mixte AB correspond à l'époque de l'an mil. Tofu, légumes verts, poisson, et fruits sont autorisés. La viande rouge et les graines interdites.

A chaque groupe sanguin, correspond également un type de caractère et des activités physiques des suppléments alimentaires, plus ou moins adaptés. Aliments pouvant ou non être consommés.

Les plus

✓ *Satiété*

Le régime offre, pour chacun des groupes, un choix suffisant de sources de protéines pour avoir une sensation de satiété.

✓ *Etat de santé*

Une amélioration de l'état de santé est observée par les personnes qui suivent ce régime, mais pourrait simplement s'expliquer par l'élimination des aliments reconnus pour leur mauvaise tolérance chez de nombreux individus, sans rapport avec leur groupe sanguin (comme le lait, le café…).

✓ *Aliments sains*

Le régime réduit la consommation d'aliments raffinés et propose plusieurs nouveaux aliments.

Les moins

✓ *Carences*

Des carences sont à craindre sur le long terme : pour le groupe sanguin O, les sources de calcium et vitamine D mais aussi en vitamines B sont rares. Le manque de glucides peut entraîner fatigue et baisse de performance. L'incitation à manger beaucoup de viande rouge peut entraîner le risque de maladies cardiovasculaires et des problèmes aux reins. Le groupe sanguin A manquera probablement de fer et protéines, et le groupe B pourrait souffrir d'un manque de vitamines B et magnésium ainsi qu'un déficit en fibres céréalières, susceptible de favoriser constipation et risques de cancers.

✓ *Arguments faibles*

La théorie n'a pas été prouvée par des arguments scientifiques ou des groupes de recherches indépendants. Les réactions entre les lectines et les antigènes n'on pas fait l'objet d'études cliniques. Cependant, il est démontré que les lectines peuvent provoquer des allergies et certains groupes sanguins sont davantage exposés à certaines maladies (cancer estomac et groupe 0). Les nombreux interdits spécifiques à chaque groupe sanguin ne sont pas justifiés.

✓ *Contraintes*

Les contraintes sont importantes et nécessite beaucoup de motivation. La perte de poids peut s'expliquer simplement par le choix restreint d'aliments proposés. De nombreux éléments sont interdits, ce qui n'incite pas à suivre son propre goût et générer des frustrations. Enfin, il est très difficile composer des menus compatibles pour plusieurs personnes ayant des groupes sanguins différents.

Menu

✓ *Groupe O :*

Petit déjeuner : blé germé, boisson de riz, figue et ananas.
Déjeuner : bœuf haché, brocoli, riz.
Dîner : Saumon, salade d'épinards avec huile d'olive et jus de citron, pruneaux.

✓ *Groupe A :*

Gruau, boisson de soya, pamplemousse,
Jus de carotte, Salade de haricots noirs, Pain de seigle
Tofu, millet, salade de chou, fraises

En savoir plus

Peter d'Adamo, *4 groupes sanguins, 4 régimes*, édition Michel Laffont.

Anti-cellulite : une hygiène de vie au quotidien.

Caractéristiques :

- **Durée du régime :** 8 semaines ;
- **Efficacité :** réduction de la peau d'orange ;
- **Rapidité :** moyenne ;
- **Effet yoyo :** faible ;
- **Choix d'aliments :** varié ;
- **Aliments interdits :** sucres, plats préparés, riches en sel ;
- **Aliments privilégiés :** fruits colorés et légumes verts (laitue, brocolis, épinards…), céréales non raffinées, légumineuses, huile olive, colza, poissons riches en oméga 3 (maquereau, saumon, sardine), jaunes d'œuf, viandes blanches (volaille sans la peau, veau) ;
- **Difficulté du régime :** facile ;
- **Diversité des recettes :** grande ;
- **Prix :** raisonnable ;
- **Facilité des préparations :** entre 10 et 20 minutes ;
- **Exercice physique :** recommandé ;
- **Public :** toutes les femmes.

Les origines

Dr Howard Murad, imminent dermatologue américain, soigne les plus célèbres artistes dans son cabinet spa à Los Angeles : Uma Thurman, Brooke Shields ou Scarlet Johansson, et bien autres actrices célèbres lui ont confié leur beauté. Dans son ouvrage, *The Cellulite Solution*, il livre ses secrets et ses recettes anticellulite.

Les principes

Pour le Dr Murad, l'essentiel réside en une bonne alimentation composée de produits frais et bio si possible. Grâce à une bonne alimentation, on améliore l'hydratation des cellules et la qualité de la peau. La peau d'orange est gainée. La peau et ses muscles de soutien sont plus toniques, le collagène augmente, les parois veineuses sont renforcées, l'hydratation est améliorée et les radicaux libres sont neutralisés. Le régime se compose de protéines pour raffermir les muscles et la peau, de céréales complètes et de légumes verts pour renforcer les vaisseaux et éviter la rétention d'eau, et de fruits pour leur effet anti-oxydant. On évite également les aliments trop salés et les eaux gazeuses.

Les étapes

Son programme de 8 semaines se compose de trois étapes essentielles :

✓ *1. Adopter un régime riche en acides gras et protéines*

Les acides gras et protéines favorise l'élimination des adipocytes, et densifient la peau. On peut en trouver dans la poudre de protéines de soja, les granulés de lécithine, les baies de goji… En cas de faim, on, peut augmenter les quantités proposées dans les menus.

✓ *2. Stimuler la circulation et raffermir sa peau avec une crème*

Même si elles sont moins efficaces, les crèmes anti-cellulite sont un bon complément à l'alimentation. Pour favoriser la circulation sanguine, le Dr Murad privilégie les principes actifs de l'extrait de marron d'Inde qui améliore la qualité de la peau, du poivre de Cayenne qui renforce les parois capillaires ou de la griffe du lion (Uncaria tomentosa) aux propriétés anti-inflammatoires. Pour un effet optimal, il faudra l'appliquer matin et soir par un massage prolongé.

Eau

Pour une hydratation optimale, il faut boire beaucoup : tisanes, thé vert, jus de fruits, eau, et pendant les repas de l'eau aromatisée au jus de citron. Les lèvres sèches sont un signe de déshydratation qui doit nous alerter.

Lécithine

Augmenter ses apports en lécithine permet de protéger les cellules de la peau. On les trouve dans le soja (lait, tofu), les épinards, les oranges, les tomates ou le chou-fleur

Acides gras

Les oméga-3, anti-inflammatoires, sont particulièrement recommandés. Ils renforcent également la structure de la peau. Les poissons des mers froides, les fruits oléagineux sont riches en oméga 3.

Antioxydants

Les légumes et fruits crus en contiennent beaucoup. De plus, ils sont riches en eau. Plus les fruits et légumes sont colorés, plus ils contiennent d'antioxydants. La baie de goji, originaire de Chine, ne contient pas moins de 18 acides aminés, 21 minéraux et un taux record de vitamine C.

Les régimes - Anti-cellulite : une hygiène de vie au quotidien.

Les plus

Le régime anti-cellulite permet d'améliorer sa silhouette. Les menus sont équilibrés et variés, sans risques de carence. Le régime anti-cellulite permet d'adopter une bonne hygiène de vie à suivre sans limite. Le régime donne un sentiment de satiété.

Les moins

Le régime nécessite une certaine rigueur et une motivation sur le long terme.

Exemple de menu

Petit déjeuner : Salade de fruits colorés avec un yaourt allégé ou au soja, noix, thé vert, tisane ou café décaféiné.

En-cas : 3 ou 4 tranches de pomme et 6 amandes ou jus de légumes au choix, bâtonnets de carotte et de céleri.

Déjeuner : Salade composée de légumes. Sandwich au poulet ou saumon dans un pain libanais. Orange.

En-cas : 1 pomme, pop-corn nature ou raisins secs (2 c. à soupe) et 4 noix.

Dîner : Salade de légumes variés arrosée d'un filet d'huile d'olive et d'un jus de citron, pâtes complètes, légumes vapeur (brocolis, chou-fleur, carotte, courgette), quelques dés de blanc de poulet et de tofu.

En savoir plus

Howard Murad, *The Cellulite Solution*, édition St Martin's Griffin

Paléolithique : une diète ancestrale

- **Durée du régime :** -
- **Efficacité :** entre 4 et 6 kilos en 2 semaines ;
- **Rapidité :** importante ;
- **Effet yoyo :** important ;
- **Choix d'aliments :** viandes maigres, volailles, poissons, œufs, fruits et les légumes, noix et graines ;
- **Aliments interdits :** céréales, légumineuses, produits laitiers, produits transformés, légumes riches en amidon (pomme de terre, manioc...), viandes grasses, aliments salés, sucre, boissons gazeuses ;
- **Aliments à surveiller :** huiles pressées à froid, avocats, thé, café, boissons alcoolisées, fruits secs ;
- **Difficulté du régime :** difficile ;
- **Diversité des recettes :** faible ;
- **Prix :** moyen ;
- **Exercice physique :** conseillé ;
- **Public :** hommes et femmes motivées.

Les origines

Le régime paléolithique est le régime que suivaient de manière naturelle les premiers hommes. Le Dr S. Boyd Eaton dans un article intitulé « Paleolithic Nutrition » évoquait, en 1985, une alimentation idéale qui empêchait les maladies dégénératives et participait à la forme physique excellente de ces chasseurs cueilleurs. Le Dr Jean Seignalet a décrit la diète ancestrale et son utilisation contre des maladies auto-immunes comme la sclérose en plaques, l'arthrite ou la fibromyalgie dans son ouvrage « L'alimentation ou la troisième médecine ». Loren Cordain, docteur en éducation physique, a lui aussi détaillé ce mode d'alimentation en l'adaptant à la culture actuelle, dans *Le régime du paléolithique*.

Les principes

Le régime paléolithique supprime les produits laitiers et les céréales. Les glucides ne représentent qu'une faible part de l'alimentation, de même que les lipides et les protéines. Il n'est pas nécessaire de compter les calories consommées, mais il faut cesser de manger dès qu'on est rassasié. L'objectif du régime est d'améliorer son état de santé, lutter contre la fatigue, les problèmes de digestion, de sinus, et de prévenir l'apparition de certaines maladies : maladies cardiovasculaires, ostéoporose, diabète de type 2, hypertension, obésité... Le régime permettrait également de soulager des maladies auto-immunes.

Les plus

✓ ***Perte de poids***

Les protéines des viandes maigres, très abondantes, permettent de brûler plus de calories et d'atteindre plus rapidement la satiété.

✓ ***Protection contre les maladies cardiovasculaires***

Les protéines réduisent le « mauvais » cholestérol, et les triglycérides augmentent le « bon » cholestérol, améliore le métabolisme de l'insuline et abaisse la tension artérielle. L'apport élevé en fruits, légumes, noix et graines, riches en fibres et en en acides gras oméga-3, contribue à réduire les triglycérides sanguins, le taux de cholestérol sanguin, et favorise la régularité intestinale.

✓ ***Equilibre acido-basique***

L'alimentation n'est ni trop acide ni trop alcaline. Le potassium, contenu dans les fruits et les légumes, permet de rétablir l'équilibre acido-basique et aide à prévenir l'hypertension, l'asthme, l'ostéoporose, certains types de cancers et de maladies chroniques.

Les moins

✓ ***Difficulté***

Le régime modifie profondément les habitudes alimentaires et peut être monotone. Il réclame une grande discipline car de nombreux aliments sont interdits. Il n'est pas certain que les besoins soient les mêmes aujourd'hui.

✓ ***Carences***

Le régime peut provoquer des carences en calcium et vitamines D. Le manque de fibres solubles (présentes dans les céréales et les légumineuses) pourrait avoir des conséquences néfastes sur la flore intestinale.

✓ *Effet yoyo*

La perte de poids est rapide les deux premières semaines. Toutefois, les régimes faibles en glucides comme celui-ci ont tendance à provoquer un effet yoyo plus importants que les régimes faibles en gras. De plus, la monotonie et le nombre élevé d'interdits peuvent provoquer des comportements boulimiques.

En savoir plus

Seignalet Jean, *L'alimentation ou la troisième médecine*, éditions François-Xavier de Guibert.

Exemple de menu

Petit déjeuner : œufs brouillés, graines de sésame.

Déjeuner : Salade et légumes avec huile d'olive et de jus de citron, dinde, noix et fruits.

Dîner : poisson, légumes vapeurs, salade de fruits, amandes.

Chrono-nutrition : respecter l'horloge biologique

Caractéristiques :

- **Durée du régime :** à vie ;
- **Efficacité :** environ 3 kilos ;
- **Rapidité :** lent ;
- **Effet yoyo :** faible ;
- **Choix d'aliments :** varié ;
- **Aliments interdits :** desserts, sucreries ;
- **Difficulté du régime :** très facile ;
- **Diversité des recettes** : importante ;
- **Prix :** faible ;
- **Exercice physique :** conseillé le matin et l'après-midi ;
- **Public :** tout le monde.

Les origines

Cette méthode a été élaborée par le docteur Delabos, médecin nutritionniste, en collaboration avec les scientifiques de l'Institut de recherche européen sur la nutrition. Selon leurs travaux de recherche, les aliments sont plus ou moins bénéfiques selon leur mode de consommation et en fonction de l'horloge biologique du corps. Le docteur Delabos a publié de nombreux ouvrages sur ce sujet.

Les principes

La méthode a pour but de mincir aux endroits souhaités et sans se priver, en mangeant tous les aliments (même ceux habituellement interdits par les régimes classiques comme les fromages, le steak frites, ou le chocolat) au moment opportun. Les rythmes biologiques du corps déterminent en effet si les aliments seront orientés vers une voie de stockage ou bien d'action cellulaire en fonction de son état de stimulation ou de repos. Pour une assimilation idéale, il convient de respecter cette horloge biologique et de donner au corps ce dont il a besoin au bon moment. L'objectif est de perdre du poids, mais aussi de participer à l'équilibre de notre organisme, en favorisant le brûlage des graisses et en évitant le stockage inutile.

✓ *Le petit déjeuner*

C'est le repas primordial de la journée. Le corps a besoin de recharger ses batteries. C'est le moment où les graisses seront le mieux éliminées grâce à une enzyme spécifique. L'organisme doit recevoir un repas suffisamment consistant pour éviter les fringales et permettre un dîner léger. Il sera composé principalement de graisses, protéines, et sucres lents (fromages, œufs, charcuterie, pain). Les sucres rapides sont interdits. Dans la matinée, l'organisme va puiser dans ces nutriments. A cette heure, l'apprentissage à court terme est favorisé.

✓ *Le déjeuner*

Il doit être riche en protéines (poissons et viandes blanches), accompagné de glucides et sucres lents. Les huiles doivent être de bonne qualité : huile de noix, huile d'olive, huile de colza… Il est conseillé de ne prendre qu'un seul plat, sans dessert. Les légumes, légumineuses, salade et même les frites sont autorisés. D'un point de vue quantitatif, la règle est d'être raisonnable, et de ne plus manger lorsque l'on arrive à satiété. Après le repas, l'organisme se concentre sur la digestion, puis est de nouveau au sommet de sa forme dans l'après-midi. La température du corps s'élève, les capacités physiques et intellectuelles sont à leur plein régime.

✓ *Le goûter*

En milieu de journée, la production d'insuline baisse et l'organisme a besoin de glucides. Le goûter se compose de fruits frais ou secs, d'oléagineux. Même le chocolat noir est permis. Cette collation permettra de faire un repas léger le soir.

✓ *Le dîner*

Il doit, en effet, être léger car les sucres rapides et les graisses ne seront pas utilisés durant le sommeil mais, au contraire, stockés. A partir de 18h l'organisme a une baisse de régime, la température du corps baisse lentement. Puis vers 22h, la mélatonine prépare le corps au sommeil.

L'évaluation morphologique permet d'établir le morphotype du patient et de comprendre pourquoi les kilos superflus sont localisés sur des parties déterminées du corps. Il prend en compte l'activité, la taille, et la morphologie. Le régime propose des règles d'alimentation pour chaque repas en fonction de son morphotype.

Les morphotypes principaux sont :

Des cuisses fortes et des hanches larges (conseils : plus de protéines, moins de féculents).

Des fesses et des pectoraux importants (conseils : moins de glucides).

Augmentation du ventre (conseils : moins de féculents).

Augmentation du thorax (conseils : plus de légumes, moins de protéines).

Augmentation du ventre et des seins (conseils : moins de glucides, moins de féculents, plus de protéines).

Les plus

✓ *Facilité*

On peut succomber aux produits sucrés. La préparation des repas n'est pas contraignante et l'on peut facilement suivre son régime à l'extérieur, chez des amis ou au restaurant.

✓ *Equilibre*

Le régime est équilibré. Il n'y a pas de groupe alimentaire interdit. On est à l'écoute de son corps et des signaux de faim ou de satiété.

Les moins

✓ *Perte de poids lente*

La perte de poids ne se manifeste que lentement, car les quantités ne sont pas limitées et il n'y a pas d'interdiction, sauf les desserts.

Menu type

Petit Déjeuner : du pain, du beurre et 50 g de fromage.

Déjeuner : viande maigre ou poisson (250 à 280 g) et des féculents (120 à 150g) ou 50g de pain.

Collation : 30 grammes de chocolat, noisettes.

Dîner : fruits et légumes frais.

En savoir plus

Dr Alain Delabos :

Mincir sur mesure grâce à la chrono-nutrition, éditions Albin Michel

Mincir en beauté : Là où vous voulez, éditions Albin Michel

Mincir gourmand : Spécial chrono-nutrition, éditions Albin Michel

Shapiro : une stratégie de comportement alimentaire

Caractéristiques

- **Durée du régime :** à vie ;
- **Efficacité :** variable ;
- **Effet yoyo :** nulle ;
- **Choix d'aliments :** varié ;
- **Aliments privilégiés :** légumes, fruits, boissons allégées, café et thé, produits laitiers allégés, glaces allégées, poissons, fruits de mer, légumineuses, pain, céréales complètes, soya, tofu, vinaigrette allégée, moutarde, vinaigre, oignon, ail, aromates, tomate, jus de citron, épices ;
- **Aliments à éviter :** frites, hamburger, quiche, charcuterie, croissant, friandises, biscuits, pâtisseries, noix, fromage gras…
- **Difficulté du régime :** facile ;
- **Diversité des recettes** : importante ;
- **Prix :** moyen ;
- **Exercice physique :** conseillé ;
- **Public :** hommes et femmes.

Les origines

La clinique du Dr Howard Shapiro (Howard M. Shapiro Medical Associates) est spécialisée dans le contrôle du poids depuis 1978. Son régime est basé non pas sur une restriction alimentaire, mais sur le bon sens en matière de choix d'alimentation qui est souvent influencé par l'aspect visuel. Il propose dans son ouvrage, *Picture Perfect Weight Loss*, des supports visuels permettant de comparer les aliments, les quantités équivalentes afin d'orienter facilement le choix du lecteur vers un aliment sain. Son livre a été un succès et a été traduit en une douzaine de langues. La police de New York a fait appel à sa clinique pour aider ses agents victimes de surpoids. Un grand nombre d'artistes, de journalistes et d'hommes politiques figurent parmi ses patients.

Les principes

Le régime du Dr Shapiro vise à améliorer les rapports avec la nourriture pour que chacun devienne responsable de son alimentation. Pour lui, il est nécessaire de comprendre ses habitudes alimentaires pour pouvoir les modifier. Pour ce faire, il faudra suivre plusieurs directives :

✓   *Tenir un journal de bord alimentaire.*

On pourra y noter les aliments consommés, l'heure, le contexte, et son état émotionnel (faim, ennui, frustration, colère, joie, tristesse...). En étant plus attentif à son comportement alimentaire, on s'engage en effet davantage dans son projet.

✓   *Disposer des images des aliments et de leur valeur calorique.*

Selon le Dr Howard Shapiro, il est plus facile en effet de choisir un bon aliment en le voyant plutôt qu'en l'imaginant. (L'image a un impact plus fort, car elle sollicite l'hémisphère droit du cerveau). Sur son livre on peut trouver un riche panel d'images permettant de voir les aliments ou les plats de nature très caloriques et, à l'opposé, les options alimentaires préférables, très faibles en calories et très appétissantes, ainsi que leurs quantités. Par exemple, on pourra voir un croissant avec du beurre correspondant à une demi banane, un quart d'ananas, 2 figues, 50g de raisin, 70g de fruits rouges, 1 petit pain, de la confiture et un quart de melon. Une comparaison qui permet de s'orienter plus facilement vers des aliments sains, peu caloriques, et rassasiants, sans pour autant s'interdire de manger des aliments très caloriques si on le souhaite.

✓   *S'accorder une grande liberté, en mangeant à sa faim.*

A n'importe quelle moment de la journée, sans compter les calories, en s'accordant le droit de craquer, et en variant le plus possible son alimentation. Selon le Dr Shapiro, en effet, l'excès de poids n'a rien à voir avec un manque de volonté ou de discipline. Pour réussir à perdre du poids, il ne faut pas se sentir frustré, sous peine de provoquer des comportements de compensation. Il faut également se méfier des produits allégés ou sans sel ou « bon pour la santé » qui nous font penser, à tord, que l'on peut manger davantage.

Les plus

✓   *A l'écoute de son corps*

Prendre conscience de son comportement alimentaire permet d'entreprendre plus facilement des changements. Le fait de ne pas interdire d'aliments et de manger à sa faim évite l'installation de comportements alimentaires déviants de type boulimie.

✓ **Facilité**

Le régime n'est pas contraignant et il est facilement applicable chez soi ou à l'extérieur. Tout est autorisé et on ne ressent pas de privation.

Les moins

✓ **Des signaux négligés**

Le Dr Shapiro recommande de ne pas se poser de questions sur la nature de ses envies (véritable faim ou ennui, stress…).

✓ **Perte de poids**

Il est difficile de déterminer le poids que l'on peut perdre étant donné la grande liberté laissé à chacun dans son alimentation.

✓ **Manque de repères**

Le régime donne très peu d'indications en matière d'équilibre alimentaire ou de quantité ce qui peut provoquer des carences. Il est donc à déconseiller aux personnes souffrant de problèmes de santé.

Menu type

Petit Déjeuner : un croissant avec du beurre (370 calories) ou bien une demi banane, un quart d'ananas, 2 figues, 50g de raisin, 70g de fruits rouges, 1 petit pain complet, de la confiture et un quart de melon (370 calories).

Déjeuner : 3 rouleaux impériaux (500 calories) ou bien une soupe de légumes chinois, 350 g de pétoncles et légumes chinois sautées, 70 g de riz nature cuit (460 calories).

Dîner : steak frites (650 calories) ou bien 200 g de thon grillé, 150 g de pommes de terre, 50 g de brocoli, de tomates grillées, salade garnie de poivron rouge et jaune, un verre de vin blanc, 100 g de yogourt glacé à la fraise avec fruits rouges, un peu de crème et coulis (650 calories).

En savoir plus

Howard M. Shapiro, *Le régime Shapiro*, Marabout Hachette livre.
Howard M. Shapiro, *Dr. Shapiro Mini Books : Dr. Shapiro's Picture Perfect Weight Loss and Dr. Shapiro's Picture Perfect Weight Loss Dessert and Snacks*, Running press.

Okinawa : chasser les toxines et équilibrer ses apports

Caractéristiques :

- **Durée du régime :** à vie ;
- **Efficacité :** variable ;
- **Rapidité :** variable ;
- **Effet yoyo :** faible ;
- **Choix d'aliments :** très varié ;
- **Aliments privilégiés :** volaille, légumes, œufs, poisson, crustacés, bœuf maigre, fruits frais, soja, tofu, thé vert ;
- **Aliments interdits :** oléagineux, fromage, charcuterie, fritures, gâteaux ;
- **Aliments à surveiller :** alcool ;
- **Difficulté du régime :** facile ;
- **Diversité des recettes** : grande ;
- **Prix** : raisonnable ;
- **Exercice physique :** aucun ;
- **Public :** actifs, adultes et enfants, hommes et femmes.

Les origines

Le régime Okinawa est un régime traditionnel des habitants de l'île d'Okinawa située au Sud du Japon. Cet archipel compte un taux record de centenaires (dont 86 % de femmes) et une espérance de vie de 86 ans pour les femmes et 78 ans pour les hommes. En outre, les habitants ne connaissent pas le surpoids. Le Japonais Makoto Suzuki, cardiologue et gérontologue, est étonné du bon état de santé des personnes âgées du dispensaire et entreprend une étude sur les centenaires en 1976. Celle-ci révèle un facteur héréditaire, mais également un mode de vie sain et une alimentation faible en calorie. The Okinawa Way et The Okinawa Diet Plan3 (Bradley et Craig Willcox) ont fait découvrir le secret de longévité des okinawaiens.

Les principes

Le régime Okinawa s'adresse aux personnes désireuses de perdre du poids et de vieillir en bonne santé en adoptant un mode de vie sain. Les habitants vivent avec une légère sensation de faim (avec une ration calorique faible d'environ 1800 à 2300 kcal par jour) et pratiquent une activité physique régulière jusqu'à un âge avancé. Enfin, le régime propose une alimentation très variée et équilibrée.

Le régime Okinawa recommande de manger à volonté des aliments à faible densité énergétique (inférieure à 0,7) riches en vitamines et minéraux et avec modération ceux dont la densité énergétique est de 0,8 à 1,5. Les aliments à densité énergétique supérieure doivent être consommés occasionnellement en petite quantité (voir tableau des aliments).

Plusieurs principes sont également recommandés : arrêter de manger en conservant une légère sensation de faim, ne manger que de petites portions, varier les aliments, et privilégier les aliments frais et colorés. Ne pas faire cuire les aliments trop longtemps, les cuisiner et les consommer séparément, mélanger le cru et le cuit, éviter le four à micro-ondes et le grill. Manger 7 à 13 portions de légumes, 7 à 13 portions de céréales ou de légumineuses, 2 à 4 fruits, 2 à 4 portions de soya ou de chou, 2 à 4 portions d'aliments riches en calcium (brocoli, poissons, yaourt…), 1 à 3 portions d'aliments riches en oméga-3 (poissons, fruits de mer, noix et graines), huile végétale, herbes, épices, sauce soya avec modération, du thé.

Toutes les semaines, on peut ajouter 0 à 7 portions de viandes, volailles et œufs, alcool avec modération

Les aliments à faible densité énergétique sont plus faibles en calories et permettent grâce à leur teneur élevée en eau, en fibres ou en protéines de procurer une sensation rapide de satiété. Selon le Dr Jacky Thouin, moins on consomme de calories, et moins on produit de déchets métaboliques donc moins de radicaux libres responsables du vieillissement. La restriction calorique permet également de réduire le taux d'insuline et d'oestrogènes et donc de protéger l'organisme de l'obésité, des cancers hormono-dépendants et de l'insulino-résistance. Les effets de la restriction calorique sur les risques de mortalité ont été en effet démontrés par plusieurs études à court terme. Les possibilités de carences pourraient néanmoins avoir des conséquences négatives à long terme.

Les facteurs socioculturels, psychologiques ou héréditaires doivent également jouer un rôle important dans la longévité exceptionnelle des centenaires d'Okinawa.

Les plus

✓ *Bien-être et satiété*

Le régime offre une grande variété alimentaire qui évite la monotonie. Les repas peuvent être adaptés aussi bien à la maison qu'à l'extérieur. Le choix des aliments à teneur élevée en protéines, fibre ou en eau procure une satiété.

Le principe de ne pas manger à sa faim pendant le repas permet d'être plus à l'écoute de son corps et de ses sensations.

Les moins

✓ *Difficulté d'applications*

Certains aliments sont plus difficiles à trouver en France (algues, soja, tofu…).

✓ *Carences*

Les carences liées à un régime hypocalorique pourraient avoir des conséquences négatives à long terme.

Exemple de menu

Petit déjeuner : pain de seigle, fruit frais, thé vert.

Déjeuner : riz ou céréales complètes, volaille, poisson ou œufs, aubergine grillée, papaye.

Dîner : Soupe de légumes et d'algues, tofu et légumes crus, pomme.

A retenir

La restriction calorique a prouvé ses bienfaits sur les risques de mortalité. Il faut renouer avec cette légère sensation de faim et attendre son signal avant de manger.

En savoir plus

Anne Dufour et Laurence Wittner, *Le régime Okinawa : passeport pour la longévité*, édition Leduc.

Méditerranéen : gourmand et équilibré

Caractéristiques :

- **Durée du régime :** permanent ;
- **Efficacité :** à court et à long terme ;
- **Rapidité :** variable ;
- **Effet yoyo :** faible ;
- **Choix d'aliments :** varié ;
- **Aliments privilégiés :** céréales complètes, fruits, légumes, ail, oignon, épices, aromates, légumineuses, noix, graines, yaourts, fromages, poisson ;
- **Aliments interdits :** non ;
- **Aliments à surveiller :** vin rouge, beurre, lait ;
- **Difficulté du régime :** facile ;
- **Diversité des recettes** : grande ;
- **Prix :** raisonnable ;
- **Exercice physique :** conseillé ;
- **Public :** pour tout le monde.

Les origines

Le régime méditerranéen, comme son nom l'indique, est un mode d'alimentation traditionnel des pays bordant la mer Méditerranée, en particulier la Crète. Dans les années 50, des études menées par l'Organisation Mondiale de la Santé ont démontré que le régime des crétois diminuait les risques de maladies cardio-vasculaires et la mortalité, malgré un apport élevé en matières grasses et des soins de santé peu développés. Le français Serge Renaud contribua à populariser largement ce type d'alimentation en montrant que les sujets victimes d'un infarctus voyaient leur taux de d'infarctus et d'accidents vasculaires cérébraux se réduire de 75 % en adoptant le régime crétois. De nombreuses autres études continuent de démontrer son efficacité dans la prévention des maladies cardio-vasculaires et cancers. Le régime a inspiré de nombreuses recommandations nutritionnelles officielles.

Les principes

Le régime méditerranéen se caractérise par un faible apport calorique, une consommation abondante de fruits, céréales et légumes, une faible consommation de produits d'origine animale (sauf poisson, fromage frais, yogourts, poulet, œufs et viande blanche en quantité modérée), un apport en lipides sous la forme quasi exclusive d'huile d'olive (riche en acides gras mono insaturés), et une consommation modérée de vin rouge (riche en resvératrol et en flavonoïdes) pendant les repas.

En outre, le mode de vie crétois se caractérise par une vie active au quotidien, et une convivialité des repas, moments importants d'échanges, qui contribuent à une meilleure digestion.

Les plus

✓ *Equilibre et facilité*

Le régime combine modération, variété (qui procure une satiété) et vie active au quotidien. Ses principes sont faciles à comprendre et à suivre à la maison ou à l'extérieur. Il n'y a pas d'interdiction formelle. Le régime est une véritable façon de vivre et non pas un simple régime restrictif. Les bénéfices se prolongent dans le long terme. Il convient parfaitement aux enfants.

✓ *Bien-être et santé*

Les fruits et légumes en grande quantité protègent contre les maladies du vieillissement par leur richesse en antioxydants.

Les acides gras mono insaturés, présents en abondance dans l'huile d'olive, et l'apport très faible en acides gras saturés réduit les taux de cholestérol total et de mauvais cholestérol (LDL), et augmente celui de bon cholestérol (HDL). Le régime diminue les facteurs de risques de maladies cardiovasculaires tels que l'obésité et l'hypertension artérielle mais aussi le risque de maladie d'Alzheimer et de Parkinson.

✓ *Perte de poids*

Des études ont prouvé que l'efficacité du régime à moyen terme sur la perte de poids était supérieure à un régime amaigrissant faible en gras.

Les moins

L'absence de lait de vache peut causer une carence en vitamine D qu'il est possible de combler par les poissons gras ou un ensoleillement important. Le vin peut provoquer une accoutumance et doit être bien sûr éliminé du régime des femmes enceintes et des enfants.

Exemple de menu

Petit déjeuner : pain complet avec huile d'olive, yaourt de chèvre nature avec fruits frais et noix.

Déjeuner : 1 assiette de crudités, riz sauvage aux petits légumes et pois chiches, poire.

Dîner : Crudités et sardines, salade de légumes avec huile d'olive et pain complet, un verre de vin.

En savoir plus

Dr Jacques Fricker et Dominique Laty, *Le régime crétois*, édition Hachette Pratique.

Willem Jean-Pierre, *Les secrets du régime crétois*, éditions Marabout.

Pospisil Edita, *Le régime méditerranéen*, éditions Vigot.

Kousmine : l'alimentation thérapeutique

Caractéristiques :

- **Durée du régime :** permanent ;
- **Efficacité :** variable ;
- **Rapidité :** variable ;
- **Effet yoyo :** faible ;
- **Choix d'aliments :** varié ;
- **Aliments privilégiés :** aliments du règne végétal, non raffinés ;
- **Aliments interdits :** pâtisseries raffinées, sucres ;
- **Aliments à surveiller :** aliments acidifiants, protéines animales, aliments trop cuits ;
- **Difficulté du régime :** moyenne ;
- **Diversité des recettes** : grande ;
- **Prix :** raisonnable ;
- **Exercice physique :** conseillé ;
- **Public :** tout le monde.

Les origines

Médecin pédiatre, le Docteur Catherine Kousmine s'intéresse à l'alimentation à la suite du décès de deux patients atteints d'un cancer. Elle établit un lien entre les maladies actuelles et l'alimentation qui se dégrade depuis plusieurs décennies. Dans son laboratoire installé chez elle, elle expérimente différentes diètes sur les souris pendant près de vingt ans. Un patient atteint d'un cancer, condamné selon les médecins à une mort imminente, suit son régime alimentaire et survit une quarantaine d'année. Critiquée par le milieu médical, elle poursuit ses recherches qu'elle applique à ses patients et publie un premier livre, *Soyez bien dans votre assiette.* Son message emporte un très grand succès. Selon elle, une alimentation et un mode de vie sains permettent au malade de prendre lui-même sa santé en main et de soulager ses maux. La « méthode Kousmine » et sa crème Budwig (un petit déjeuner vitalité) deviennent très vite célèbres. Elle fait figure de pionnière en matière d'alimentation thérapeutique. Plusieurs de ses recommandations alimentaires sont aujourd'hui reprises par les scientifiques.

Les principes

Le Dr Kousmine prône une méthode holistique qui prend en compte l'organisme dans sa totalité, quelle que soit la maladie. Selon elle, il faut redonner au corps ses capacités de guérison qu'il perd par le mode de vie et l'alimentation actuels. Les produits raffinés affaiblissent le corps qui perd sa capacité de résistance aux maladies chroniques. Une alimentation saine, des supplémentassions, une hygiène intestinale, l'équilibre acido-basique et l'immunomodulation permettent de revivifier l'organisme.

La méthode Kousmine repose sur les « cinq piliers » :

✓ *1. une alimentation saine*

Le Dr Kousmine prône une réforme alimentaire qui consiste à réhabiliter certains aliments disparus de notre consommation habituelle (céréales complètes, huiles obtenues par première pression à froid, sucre brun de canne ou miel, fruits et légumes crus ou cuits...) et à réduire la consommation de certains aliments (margarine, protéines animales, sucres…). Cette alimentation vise à apporter à l'organisme tous les nutriments dont il a besoin pour assurer la croissance, le renouvellement des cellules et une élimination optimale.

Il faut réduire les calories pour prévenir le surpoids, limiter l'apport en graisse (celles-ci devront se composer de graisses végétales polyinsaturées), réduire la consommation de sel, d'alcool, sucres rapides, amidon, café, aliments transformés comme la charcuterie, et aliments riches en additifs et colorants.

Les aliments à privilégier sont : les légumes à consommer en grande quantité (surtout le chou et les légumes colorés, riches en bêta carotène), des végétaux riches en fibres à consommer quotidiennement, des céréales complètes, des protéines végétales (de préférence aux protéines animales), des aliments riches en antioxydants (sélénium, vitamine C et vitamine E).

Il faudra en outre veiller à une cuisson douce, à la vapeur ou à l'étouffée, et éviter de frire, rôtir, réchauffer ou griller les aliments.

✓ *2. Hygiène intestinale*

Les selles sont une indication de bonne santé. Pour parvenir à une bonne hygiène intestinale, il faut réduire les sucres et protéines. En cas de flore de putréfaction intestinale, source de maladies, des lavements intestinaux et des diètes peuvent être nécessaires.

✓ *3. L'équilibre acido-basique*

Le manque de certains oligo-éléments et vitamines peut provoquer une acidification anormale. Pour lutter contre, l'alimentation doit privilégier les aliments alcalins et réduire les aliments acides. Mesuré dans l'urine à l'aide d'un papier réactif, le pH (potentiel d'hydrogène) doit se situer entre 7 et 7,5. Un taux bas indique un pH acide, un taux élevé indique un pH alcalin.

Si le pH révèle un surplus d'acide (>7,5), le Dr Kousmine recommande la prise de sels alcalins (calcium, magnésium, potassium, etc.) et le respect d'une alimentation adaptée afin de revenir à un pH adéquat.

Aliments alcalins : épinards, salade, jus de tomate, raisins, kiwi, pamplemousse, orange, pomme, poire, pêche, pomme de terre, carotte, céleri, courgette, noisettes.

Aliments acidifiants (à limiter) : charcuteries, abats, blanc d'œuf, fromages forts et fermentés, légumes secs, asperges, artichauts, choux de Bruxelles, arachides, viande, poisson, volaille, gibier.

Aliments très acidifiants à éviter : sucre, farine raffinée (pain blanc, biscottes, pâtisseries, pâtes, semoule), huiles raffinées, graisses hydrogénées, thé, alcool, café, chocolat.

✓ *4. Les compléments alimentaires*

Vitamines, oligo-éléments, acides gras essentiels, peuvent être pris en cas de carences.

✓ *5. L'immunomodulation*

Des antigènes permettent une désensibilisation immunitaire aux allergènes et la relance d'une défense immunitaire normale. Selon la Fondation, ces techniques de désensibilisation sont efficaces dans le traitement de l'asthme, de l'arthrose, de migraines ou de rhumatismes.

Les plus

✓ *Une pionnière en nutrition*

Le Dr Kousmine a été l'une des premières à montrer les conséquences néfastes de l'alimentation moderne qui fragilise les intestins et dégrade la flore microbienne, contribuant à l'apparition des maladies.

✓ *Une alimentation saine*

Des études scientifiques ont démontré que ce type d'alimentation peut favoriser la guérison de l'arthrite et la sclérose en plaques. Les vertus des poissons et de l'huile de lin ont été confirmées par de nombreuses études scientifiques. Aucune preuve n'a en revanche été apportée dans le traitement du cancer.

✓ ***Satiété et bien-être***

Les aliments autorisés par le régime peuvent être consommés en quantité désirée. La crème Budwig est délicieuse et procure une grande satiété.

Les moins

✓ ***Excès d'antioxydants***

La prise de suppléments d'antioxydants (bêta carotène, sélénium, vitamine C et E...) peut devenir « pro oxydant » et même cancérigène. Il vaut mieux les rechercher dans l'alimentation et non dans les compléments.

✓ ***Perte de poids limitée***

Bien que la Dr Kousmine encourage une restriction calorique, il est difficile de trouver la bonne mesure. La crème Budwig par exemple est très riche et l'alimentation recommande une consommation élevée d'huiles riches en oméga-6 et oméga-3.

✓ ***Difficulté d'adaptation***

Le régime est modérément facile à suivre à l'extérieur, mais l'on trouve de plus en plus d'aliments conseillés tels que l'huile pressée à froid, ou les céréales entières. Il est plus difficile de trouver les graines.

✓ ***Lavements contre-indiqués***

Les lavements intestinaux sont controversés quant à leur utilité et leur danger éventuel.

Exemple de menu

Petit déjeuner : Thé léger et crème Budwig (4 c. à café de fromage blanc maigre, 2 c. à café d'huile de lin première pression à froid, 1 banane mûre écrasée, jus d'un demi citron, 2 c. à café de céréales complètes moulues et crues, 2 c. à café de graines oléagineuses complètes moulues, fruits frais de saison.).

Déjeuner : Légumes crus en salade avec yaourt et huile pressée à froid, persil, sel de Guérande, poivre, jus de citron ou pomme. Légumes et pommes de terre cuites à la vapeur, viande ou poisson cuit sans matières grasses, ration de céréales complètes.

Goûter : Fruits crus, ou secs, jus de fruits frais.

Dîner (le plus tôt possible, léger et sans viande)

Filet de truite, légumes cuits à la vapeur, pain intégral

En savoir plus

www.kousmine.com

Dr Kousmine, *Soyez bien dans votre assiette*

Minçavi : la convivialité retrouvée

Caractéristiques :

- **Durée du régime :** à vie ;
- **Efficacité :** 1 kilo par semaine ;
- **Rapidité :** variable ;
- **Effet yoyo :** possible si manque d'encadrement ;
- **Choix d'aliments :** varié ;
- **Aliments privilégiés :** céréales complètes, légumineuses, légumes ;
- **Aliments interdits :** aucun ;
- **Aliments à surveiller :** alcool, sucreries, desserts et aliments riches en gras ;
- **Difficulté du régime :** facile sauf programme dynamique ;
- **Diversité des recettes** : grande ;
- **Prix :** raisonnable ;
- **Exercice physique :** aucun ;
- **Public :** pour toute la famille.

Les origines

Mère de huit enfants, Lyne Martineau a conçu ce régime dans les années 80 dans le but de concilier une alimentation saine et perte de poids, tout en respectant les besoins alimentaires de sa famille. Elle décide d'en faire profiter le plus grand nombre. Le régime s'est diffusé par petits groupes de rencontres qui ont pris un essor important, ralliant diététiciens et chefs cuisiniers. Une gamme de produits alimentaires a été également développée. Plus de 1,5 million de personnes ont profité des conseils du régime Minçavi.

Les principes

Pas question de préparer un repas allégé pour la mère, soucieuse de sa ligne, et un repas consistant pour les autres membres de la famille. Fidèle à son objectif initial, la fondatrice de Mincavi a conçu un menu qui conviendra à tout le monde à la maison. Selon Lyne Martineau, les enfants ont d'ailleurs tout intérêt à prendre les bonnes habitudes alimentaires dès le plus jeune âge. L'éducation en matière de nutrition est essentielle à une époque où des maladies telles que l'obésité mais aussi les maladies cardiovasculaires, le diabète de type 2 ou l'hypertension sont en forte progression.

Le régime prône une alimentation riche en protéines et faible en gras (environ 25% de protéines, 25% de lipides et 50% de glucides). Les aliments privilégiés sont les céréales complètes, les légumineuses. Les légumes peuvent être consommés à volonté et aucun aliment n'est interdit. Le programme allie plaisir de manger et santé. Des dégustations ont lieu pendant les rencontres hebdomadaires qui permettent aussi de commenter son journal alimentaire, et d'écouter une conférence de motivation. Les animatrices, qui ont suivi avec succès ce régime, sont formées par des nutritionnistes.

Le programme s'adapte en fonction de chacun, prenant en compte le sexe, l'âge, la masse corporelle et l'activité physique. On écoute les signaux corporels de faim ou de satiété. On adapte le nombre de portions en fonction de la perte de poids qui doit rester progressive (un kilo par semaine maximum). Lors de la première rencontre, les participants reçoivent un programme de départ, un carnet santé et un livre de recettes. Un objectif correspondant à moins 5 % de leur poids initial est fixé, dans un premier temps, et pourra être renouvelé, une fois atteint. Une telle démarche, par étapes facilement réalisables, est très importante dans la réussite du programme Minçavi, car il permet d'augmenter la motivation des participants. Au cours des réunions hebdomadaires, les participants surveillent l'évolution de leur poids, font des dégustations, et participent à des échanges. Ces rencontres sont très importantes pour la réussite de leur projet de perte de poids. Elles visent à entretenir la motivation, mais aussi à mieux comprendre l'évolution de leur poids grâce à la tenue d'un journal alimentaire quotidien. La perte de poids contribue à améliorer l'estime de soi.

Cinq programmes sont mis en place en fonction des besoins. Le programme dynamique (1 400 kcal par jour), le programme dynamique option, le programme énergique (1 600 kcal), le programme actif (1 800 kcal), le programme musclé (2 000 kcal).

Le concept d'adhésion est original. Les rencontres qui coûtent environ 8 euros deviennent gratuites lorsque l'on atteint son poids idéal. Enfin, l'activité physique est fortement conseillée.

Les plus

✓ *Satiété*

L'apport varié de fibres et de protéines permet d'obtenir une sensation de satiété. Le fractionnement de l'apport alimentaire en trois repas et trois collations permet d'éviter les fringales. La consommation de repas équilibrés évite l'effet yoyo.

✓ *Motivation*

Les conférences hebdomadaires de motivation sont efficaces et gaies. Le régime est facile à suivre à la maison ou à l'extérieur. De plus, les nombreux livres de recettes et les préparations alimentaires facilitent sa mise en œuvre. On apprend à être à l'écoute de son corps.

Les moins

✓ *Frustration*

Le programme dynamique est trop restrictif. Il risque de décourager et d'entraîner un effet yoyo.

✓ *Carence*

Les féculents sont limités à de très faibles quantités (une demi-tasse par jour).

✓ *Difficulté d'accès*

Le programme n'est pas encore disponible en Europe, seulement en Amérique du Nord.

En savoir plus

Gosselin Caroline, *Maigrir pour la vie*, Éditions G.G.C, Canada.
Site internet : www.mincavi.com

Programme actif (1 800 kcal)

Petit déjeuner : 2 rôties, 1 cuillère à café de margarine non hydrogénée, 30 g de fromage suisse, 20 raisins rouges, 1 verre d'eau.

Collation : 1 pêche, 1 muffin santé, 1 verre d'eau.

Déjeuner : 1 bol de soupe aux légumes, 150 g de poulet grillé, 125 ml de riz brun cuit, légumes vapeur (à volonté), 175 ml de yogourt.

Collation : 30 ml d'amandes grillées, 1 pomme.

Dîner : salade de haricots (180 g) et légumes frais, 15 ml d'huile d'olive (vinaigrette),
Collation : 250 ml de lait, 30 g de céréales de son.

Programme dynamique (1 400 kcal)

Petit déjeuner : 1 tranche de pain, margarine non hydrogénée (une cuillère à café), 30 g de fromage suisse, raisins rouges.

Collation : 1 pêche.

Déjeuner : soupe aux légumes, poulet grillé, 125 grammes de riz brun cuit, légumes vapeur, yaourt.

Les régimes - Minçavi : la convivialité retrouvée

Collation : amandes grillées.

Dîner : salade de haricots et légumes frais, 15 ml d'huile d'olive.

Collation : 250 ml de lait, 30 g de céréales complètes.

Macrobiotique : l'équilibre énergétique

- **Durée :** à vie ;
- **Efficacité :** variable ;
- **Effet yoyo :** modéré ;
- **Choix d'aliments :** variété limitée ;
- **Aliments privilégiés :** légumineuses, protéines concentrées végétales (fu, seitan, tofu, humus...), miso, natto, tofu, tahini, lait de riz, purée de sésame ou d'amande, fruits régionaux et de saison, frais, secs ou cuits, légumes racines, anciennes variétés, algues, sauce de soya, vinaigre de cidre, huiles de première pression à froid, café de céréales, thé de riz, thym, romarin, thé mû, eau de source ;
- **Aliments interdits :** Viande et dérivés, poisson d'élevage, produits laitiers, graisses animales, fruits et jus hors saison et hors région, tomates, pommes de terre, asperges, moutarde, huiles et vinaigres industriels, café, thé noir, soda et boissons sucrées, eau gazeuse et minéralisée, alcools forts, sucre, chocolat, miel ;
- **Difficulté du régime :** important ;
- **Diversité des recettes** : importante ;
- **Prix :** moyen ;
- **Exercice physique :** conseillé ;
- **Public :** adultes (déconseillé aux enfants, aux femmes enceintes, aux adolescents, aux personnes anémiées) ;
- **People :** Gwyneth Paltrow, Courtney Love.

Les origines

La macrobiotique est une philosophie et un régime qui a pour objectif de favoriser la longévité. Le régime puise ses origines de l'Antiquité, avec notamment le médecin Hippocrate qui évoquait déjà les vertus curatives des aliments. A la fin du XVIIIe siècle, le Dr Christoph Wilhem Hufeland publie *L'Art de prolonger la vie par la macrobiotique*. Le régime tire aussi ses sources des traditions japonaises. Georges Ohsawa s'inspirera de l'alimentation des moines zen pour établir les fondements de la macrobiotique moderne et de sa philosophie. Il prône le principe de l'équilibre énergétique du Yin et du Yang jusque dans l'alimentation. Le Japonais Michio Kushi, à travers ses nombreux ouvrages, développera les principes de la macrobiotique aux Etats-Unis.

Les principes

La macrobiotique s'étend à tous les domaines, de la santé à l'environnement ou à l'univers et vise l'équilibre entre les forces opposées du yin et du yang. Dans le régime, les aliments très yin (tels que le sucre, les légumes crus, l'alcool, les fruits tropicaux…) sont déconseillés, de même que les aliments très yang (viandes, sel, café, épices…). De manière générale, on évitera les aliments yang, car l'homme est déjà de nature yang. Les céréales, les légumes, les algues et les poissons sont situés dans un juste milieu. Comme le régime végétalien, le régime macrobiotique se compose majoritairement d'aliments issus du règne végétal : céréales entières, légumes, légumineuses, algues et produits de soya. Les fruits et légumes sont de préférence des produits locaux et de saison. Certains sont interdits comme les tomates, les aubergines, les pommes de terre, les asperges, car ils sont très yin. Ils doivent être consommés cuits et crus. Les graines doivent représenter une part importante du menu tandis que les légumineuses doivent représenter de 10 % à 15 %. La consommation d'aliments de source animale est très faible, et se compose de préférence de poissons maigres et de fruits de mer.

La consommation de produits laitiers est déconseillée après le sevrage.

L'eau doit être de bonne qualité (eau de source, eau filtrée) et consommée en grande quantité seulement au printemps. Enfin, on évitera la consommation de suppléments vitaminiques ou minéraux. La cuisson doit être de préférence courte et à feu doux. Les cuissons aux micro-ondes ou à l'électricité sont déconseillées.

Le mode de consommation des aliments suit également des règles : on ne mangera pas si l'on est dans un état émotif de colère ou d'excitation. Il faut au contraire retrouver un état de paix et de calme intérieur, empreint de reconnaissance envers la nourriture. La mastication est importante.

La macrobiotique cherche à ramener ou à maintenir la complémentarité de ces deux forces. Lorsque l'équilibre entre les forces yin et yang est établi, l'organisme est en santé. Un déséquilibre crée, par conséquent, un terrain propice à la maladie. Un cancer peut, par exemple, être causé par un excès d'aliments très yin comme les céréales raffinées, le sucre, les boissons gazeuses, les additifs, ou encore par un excès d'aliments très yang (viande, gras...).

Les plus

✓ *Antioxydants*

Les aliments à privilégier, pour la plupart, sont riches en graisses insaturées et en anti-oxydants, ce qui permet de réduire les risques de cancer et à diminuer le taux élevé de lipides sanguins. En outre, les aliments transformés sont bannis.

✓ *Satiété et bien-être*

La consommation de fibres alimentaires donne un sentiment de satiété.

Les moins

✓ *Absence de preuves*

La classification des aliments yin et yang ne peut être scientifiquement mesurée. Néanmoins la médecine traditionnelle chinoise sur laquelle repose ce concept a fait les preuves de son efficacité.

✓ *Risques cardio-vasculaires*

Le régime est riche en hydrates de carbones qui peuvent augmenter le taux de triglycérides sanguins et donc les risques de maladies cardiovasculaires.

✓ *Difficulté*

Les aliments interdits sont nombreux. Les nouveaux aliments à privilégier sont difficiles à trouver et nécessite une adaptation (algues, légumes marinés...). Le régime nécessite une vraie motivation et est difficilement applicable à l'extérieur, sauf dans les restaurants japonais.

✓ *Carences*

Le régime peut entraîner des carences importantes, notamment en vitamines B12 et D, en calcium, en protéines. Le régime est à déconseiller aux enfants et personnes malades

Menu type

Petit déjeuner : thé mû ou bancha, galette de riz, graines de sésame, compote de fruits secs.
Déjeuner : soupe de millet aux algues, légumes cuits vapeur et marinés, tofu.
Dîner : soupe champignons et navet, riz brun, poisson.

En savoir plus

Sites internet :
www.shiatsumacrobiotique.com, www.lamacrobiotique.com, www.michiokushi.org.
Ouvrages :
T. Kagemori, *Cuisine japonaise naturelle. Un point de vue macrobiotique*, édition Tsuki.
Georges Ohsawa, *Le zen macrobiotique, ou L'art du rajeunissement et de la longévité*, librairie philosophique J. Vrin

SLIM-data : un nouvel index de classification

Caractéristiques :

- **Durée du régime :** 4 à 6 semaines ;
- **Efficacité :** variable ;
- **Rapidité :** variable ;
- **Effet yoyo :** faible ;
- **Choix d'aliments :** varié ;
- **Aliments à privilégier :** crudités, fromage frais, haricots rouges, lait écrémé, yaourt nature, lapin, viande rouge ou blanche, volaille, légumes verts, soupe de légumes, lentilles, noisettes, noix, œufs, poissons, crustacés, pommes, agrumes ;
- **Aliments à surveiller :** banane, beurre, huile, margarine, crème, biscuits salés ou sucrés, chips, carotte cuite, charcuterie, chocolat, bonbons, confiture, miel, flocons d'avoine, corn flakes, riz soufflé, jus de fruit, soda, maïs, céréales raffinées, purée de légumes, riz et blé précuits, sucre, sirop, tarama ;
- **Aliments interdits :** aucun ;
- **Difficulté du régime :** facile ;
- **Diversité des recettes** : élevée ;
- **Prix :** moyen ;
- **Exercice physique :** conseillé ;
- **Public :** tous.

Les origines

Le SLIM-data est une méthode issue de recherches pluridisciplinaires menées en France, aux Etats-Unis et au Japon. Il repose sur l'existence d'une interaction biochimique entre aliment et organisme. Le docteur Yann Rougier, spécialiste en neurobiologie et en nutrition, fonde la NPH fondation (*Nutrition prevention and health*) et coordonne les études sur le SLIM-data. Il publie *Voulez-vous maigrir avec moi*.

Les principes

Le SLIM-data fait table rase des calories ou des index glycémiques. Sa méthode de calcul englobe à la fois calories, l'index enzymatique, la digestion et l'index insulinique, c'est à dire la réaction du corps pour utiliser ou stocker les aliments. Rien n'est totalement interdit. Cette grande liberté permet de suivre ce régime aussi longtemps qu'on le souhaite. On doit consommer les aliments en fonction de leur appartenance à l'une des quatre classes suivantes :

Zone verte : aliments à « SLIM-data» bas qui entraînent peu de stockage et qu'on peut consommer à volonté (la plupart des légumes, poissons et crustacés).

Zone orange : aliments à « SLIM-data» moyens, qui doivent être mangés seuls où associés avec des aliments de la zone verte (la plupart des fruits, céréales, légumineuses, viandes).

Zone rouge : aliments à « SLIM-data» hauts qui doivent être toujours accompagnés avec des aliments de la zone verte.

Zone violette : aliments à force de stockage très forte (baguette industrielle, chips, ketchup, bonbons, sodas) tolérés deux fois par mois maximum après 3 semaines de régime.

Les aliments à SLIM-data élevés sollicitent trop le pancréas, et vont dérégler la production d'insuline. A long terme, ils entraînent un surpoids et une baisse de taux de sucre dans le sang qui entraîne, dans un cercle vicieux, hypoglycémie et besoin de manger.

Tous les produits raffinés qui contiennent des substances chimiques sont interdits. Le corps ne pouvant les métaboliser pour les éliminer, va les stocker, entraînant rétention d'eau et allergies.

ZONE VERTE :

Crudités diverses

Fromage frais

Haricots rouges

Lait écrémé, yaourt nature ou aux fruits

Lapin, viande rouge ou blanche, volaille

Légumes verts, soupe de légumes sans PDT

Lentilles

Noisettes, noix

Œufs durs ou à la coque

Poissons (tous), crustacés

Pommes, agrumes

ZONE ORANGE :

Betterave

Blé, épeautre, seigle, bourglour, semoule

Choucroute sans viande

Les régimes - SLIM-data : un nouvel index de classification

Fromages à pâte cuite

Fructose

Haricots blancs

Jambon

Œufs au plat

Pain, céréales, pâtes et riz complet

Petits pois, pois chiche

Pistaches

Pizza à pâte fine

Poires, raison, pêches, prunes

Poisson pané

Sandwich (sauf pâté et saucisson)

Salade assaisonnée

ZONE ROUGE :

Banane

Beurre, huile, margarine, crème

Biscuits salés ou sucrés, chips

Carotte cuite

Charcuterie, sauf jambon blanc

Chocolat, confiseries

Confiture, miel

Flocons d'avoine, corn flakes, riz soufflé

Jus de fruit, soda

Maïs

Pain blanc, pain de mie, biscotte

Pâtes blanches en sauce

Pizza à pâtes épaisse

Purée de légumes

Riz et blé précuits

Sucre, sirop

Tarama

Vin rouge, alcools

Le régime suit 3 phases :

1. Une phase de démarrage qui dure une à 3 semaines, avec des aliments à force de stockage faible (3 choix verts ou 2 choix verts et 1 choix orange par repas).

2. Une deuxième phase de stabilisation qui dure 3 semaines, qui alterne aliments de zone verte et de zone orange (1 choix vert et 2 choix orange par repas).

3. Une troisième phase, que l'on doit suivre en permanence, et qui autorise des aliments à force de stockage plus élevée (tout est autorisé sauf 3 choix rouges ou 2 choix orange et 1 choix rouge). L'alimentation moderne, raffinée et riche en additifs chimiques, provoque des carences. Les compléments alimentaires deviennent un bon moyen de rétablir l'apport vitaminique.

Les plus

✓ **Facilité d'application**

Aucun aliment n'est formellement interdit. On peut manger de tout, les aliments de zone verte peuvent être consommés à volonté.

✓ **Perte de poids**

On perd du poids dès la première semaine, sans frustration.

Les moins

✓ **Contraintes**

Il faut apprendre à reconnaître les différentes catégories d'aliments pour composer son repas

Menu type

Menu phase 1

Petit déjeuner : thé ou café sans sucre, 1 yaourt, son d'avoine (2 cuillères à café), un kiwi

Déjeuner : tomates, 1 steak haché, endives braisées, clémentines.

Dîner : salade d'épinards, blanc de poulet, haricots verts, salade de fruits rouges, fromage blanc.

En savoir plus

Yann Rougier, *Voulez-vous maigrir avec moi, la méthode SLIM-data du Dr Yann Rougier*, éditions Albin Michel, 17,50 €.

Yann Rougier, *Prévenir et vaincre le surpoids en famille*, éditions Albin Michel.

Zermati : maigrir sans régime

Caractéristiques

- **Durée du régime :** à vie ;
- **Efficacité :** variable ;
- **Rapidité :** rapide ;
- **Effet yoyo :** non ;
- **Choix d'aliments :** varié ;
- **Aliments interdits :** aucun ;
- **Difficulté du régime :** facile ;
- **Diversité des recettes** : élevée ;
- **Prix :** économique ;
- **Exercice physique :** - ;
- **Public :** tous.

Les origines

Le Dr Jean Philippe Zermati s'est intéressé en tant que nutritionniste à la psychologie de l'acte alimentaire, Avec le psychiatre Gérard Apfelbaum, il fonde une association, le Groupe de Réflexion sur l'Obésité et le Surpoids (GROS), qui combat les diktats de la mode et des régimes, pour revenir aux sensations et systèmes de régulation naturels de l'individu afin de combattre le surpoids et atteindre un poids en adéquation avec sa morphologie. Le Dr Zermati publie de nombreux ouvrages pour « Maigrir sans régime ».

Les principes

Il est interdit d'interdire, pourrait-on dire pour résumer l'idée-force de ce régime ! Les régimes entraîneraient un dérèglement des sensations et des réactions de l'organisme. Le corps peut nous guider naturellement vers ce dont il a besoin. L'obsession des kilos en trop, la frustration permanente que l'on s'inflige, nous placent dans un état de restriction et de frustration permanente qui nous enlève le plaisir de manger. La méthode Zernati consiste à ne manger que si l'on a faim, même si l'on doit sauter un repas, et à s'arrêter de manger dès que l'on n'a plus faim. L'objectif est d'atteindre le poids adapté à sa morphologie et de ne pas descendre en dessous, au risque de s'affamer et de reprendre davantage de kilos (effet yoyo).

✓ ***Première période (15 jours) : s'observer***

Pour parvenir à s'alimenter naturellement, il faut observer ses comportements pendant une dizaine de jours. Quantités, type d'aliments, conditions, impressions (colère, satiété, stress, faim, envie) seront notés de manière exhaustive de manière à dresser une carte du paysage alimentaire.

✓ ***Deuxième période : manger selon sa faim***

Dans un deuxième temps on s'attachera à se concentrer sur ses sensations et les distinguer clairement pour ne manger que si l'on a véritablement faim. Il faudra également veiller à prendre ses repas dans un environnement calme, loin des sources de tension. On sera attentif au signal de satiété.

✓ ***Troisième période : s'affranchir des tabous***

Enfin, une dernière étape permettra de s'affranchir des tabous alimentaires en remplaçant un repas par des gâteaux ou du chocolat et en s'arrêtant au moment où l'on se sent rassasié. Les sensations étant de nouveau opérationnelles, on ne reprendra pas de poids.

✓ ***La courbe du plaisir gustatif***

Le plaisir gustatif évolue en fonction de la quantité de nourriture. On atteint un seuil maximum en début de repas en fonction de sa faim, puis le plaisir gustatif va diminuer jusqu'à disparaître. Si l'on ressent encore une faim, on va passer à un autre plat, jusqu'à éprouver une sensation de satiété. On peut donc distinguer rassasiement spécifique pour un plat et un rassasiement global pour un repas.

Dans le cas de personnes restreintes par un régime, le plaisir gustatif ne décroît pas ou augmente. En réalité, il ne s'agit plus de plaisir gustatif. Le mangeur s'arrêtera s'il n'y a plus de nourriture disponible, si son estomac n'est plus capable de supporter de nourriture, ou s'il se raisonne. Dans ce cas, l'absence de diminution du plaisir gustatif le laisse sur un sentiment de frustration. Alors que le mangeur régulé s'interrompt sans difficulté du fait de la disparition de son envie de manger. Toute la nourriture consommée après le rassasiement va faire grossir quel que soit l'aliment, même une tomate. Au contraire, un aliment riche comme du chocolat ne fera pas grossir, s'il est consommé quand on a faim.

Les plus

✓ ***A l'écoute du corps***

Le régime permet de retrouver son autonomie en matière d'alimentation et d'être acteur de son poids en faisant appel à ses systèmes de régulation (sensations de faim et de satiété, compteur interne de calories). Il permet de diminuer leurs troubles du comportement alimentaire (crises de boulimie, hyperphagie...).

✓ ***Facilité***

Il est facile à suivre chez soi et à l'extérieur, et peut être pratiqué par tous avec une alimentation variée et équilibrée.

Les moins

✓ ***Perte des repères externes***

Il n'est pas évident de répondre au signal de la faim à n'importe quel moment de la journée en raison des contraintes sociales qui s'imposent à nous. On peut perdre la bonne habitude de faire de vrais repas, à heure fixe.

✓ ***Alimentation déséquilibrée***

On peut être tenté de ne manger que des aliments pauvres d'un point de vue nutritionnel tels que gâteaux, confiseries, chips, préparations industrielles... qui nuisent à l'équilibre et à la variété de l'alimentation et donc à la santé.

En savoir plus

Dr Jean-Philippe Zermati, *La fin des régimes*, éditions Hachette Pratique
Maigrir sans régime, édition Odile Jacob.

Dr Weil : le régime anti-inflammatoire

Caractéristiques

- **Durée du régime :** à vie ;
- **Efficacité :** variable ;
- **Effet yoyo :** non ;
- **Choix d'aliments :** varié ;
- **Aliments privilégiés :** fruits et légumes, glucides à index glycémique bas, poisson, huile d'olive, colza, graines ;
- **Aliments à surveiller :** glucides à index glycémique élevé ;
- **Aliments interdits :** sucres concentrés, aliments raffinés, viande ;
- **Difficulté du régime :** moyen ;
- **Diversité des recettes** : importante ;
- **Prix :** élevé ;
- **Exercice physique :** conseillé ;
- **Public :** tous.

Les origines

Professeur et directeur du programme de médecine intégrée à l'Université d'Arizona, le Dr Weil s'attache à prévenir les maladies et combattre le vieillissement par des méthodes naturelles comme l'alimentation. Même si le vieillissement est incontournable, on peut garder son organisme en bonne santé tout au long de notre vie. Il a mis au point un régime qui tente de combattre l'inflammation cause commune à toutes les maladies. Ses ouvrages ont eu un grand succès, notamment *Healthy Aging* où il détaille ce qu'est le régime anti-inflammatoire.

Les principes

Le régime a pour objectif d'augmenter la longévité en santé, en protégeant le système immunitaire, en renforçant l'organisme. Selon le Dr Weil, la source des maladies (maladies cardiovasculaires, de nombreux cancers, maladie d'Alzheimer, maladies auto-immunes, asthme,) sont en partie causées par les inflammations chroniques. C'est un processus dans lequel le système immunitaire est déséquilibré et travaille pour réparer l'organisme. Le stress, le manque d'exercice, les prédispositions génétiques peuvent provoquer l'inflammation, mais le principal facteur est la mauvaise bouffe. L'alimentation trop riche en acides gras saturés (viandes et produits laitiers gras) et trop faible en acides gras oméga-3 (poissons) favorise l'inflammation chronique.

Le régime anti-inflammatoire n'est pas un régime à suivre sur une période limitée pour perdre du poids, mais c'est un nouveau mode de sélection et de préparation des aliments qui a pour but d'aider l'organisme à rester en bonne santé en apportant énergie, vitamines, acides gras essentiels, des minéraux et des fibres.

Les principes essentiels du régime consistent en une alimentation composée de produits frais et d'une grande variété, une consommation abondante de fruits et légumes. Les aliments raffinés et préparés sont à éviter absolument. Une ration calorique de 2000 à 3000 calories par jour, moins pour les femmes et les personnes peu actives et davantage pour les personnes très actives. La consommation des aliments doivent se répartir de la manière suivante : 40 à 50 pourcent de glucides, 30 pourcent de graisse, 20 à 30 pourcent de protéines.

✓ **Glucides**
Les glucides à index glycémique bas, réduire la consommation de produits à base de farine et sucre, comme le pain et les préparations alimentaires. Les céréales complètes comme le boulghour ou le riz sont conseillées.

✓ **Glucides à index glycémique élevé (à éviter)**
Bière, glucose, pommes de terre frites, purée, miel, corn flakes, céréales sucrées, friandises, soda sucré, sucre blanc, banane, raisins secs, jus d'orange industriel, biscuits secs, pain blanc.

✓ **Glucides à index glycémique bas (à privilégier)**
Flocons d'avoine, riz brun complet, pain complet, petits pois, patate douce, jus d'orange frais, jus de pomme nature, haricots rouges, pâtes cuites al dente, yogourt, orange, pomme, poire, lait, céréales de son, pêche, pois chiches, fructose, chocolat noir, soya, arachides, abricots, laitue, tomate, poivron, ail, oignon.

✓ **Les graisses**
La consommation de lipides doit être inférieure à 30 % des calories quotidiennes et devrait se répartir entre acides gras saturés (25 %), acides gras polyinsaturés (5%) et acides gras mono-insaturés (50 %). La consommation de beurre, crème, fromage, viandes grasses devra donc être

limitée, tandis que les oméga-3 (saumon, sardine, noix, graines de lin) pourront être consommés en plus grande quantité.

✓ *Les protéines*

La consommation des protéines représente 20 % à 30 % des calories. Le Dr Weil recommande de consommer de préférence des protéines végétales et dans une moindre mesure du poisson, des produits laitiers allégés et du soya. La viande a une incidence pro-inflammatoire.

✓ *Les fibres*

Il est indispensable de manger beaucoup de fruits et de légumes pour atteindre une consommation régulière d'environ 40 g par jour.

✓ *Les polyphénols*

Les légumes et fruits contiennent des composés phytochimiques ou polyphénols. Ils ont une action antioxydante et aident à lutter contre les radicaux libres. Ils pourraient avoir également la capacité de réduire les inflammations. Les oranges, les tomates, les légumes verts à feuilles, le soya, le thé, le vin rouge et le chocolat noir en contiennent en grand nombre.

✓ *Les suppléments alimentaires*

Le Dr Weil recommande une prise quotidienne de 200 mg/jour de vitamine C, 400 UI/jour de vitamine E, 200 µg/jour de sélénium, 10 000 à 15 000 UI/jour de caroténoïdes, 1 200 à 1 500 mg/jour de calcium, 400 µg d'acide folique, 1 000 UI de vitamine D.

✓ *Les boissons*

Il faut boire 6 à 8 verres d'eau pure ou de boissons à base de thé, de jus de fruits, d'eau citronnée, par jour. Utiliser de préférence de l'eau en bouteille ou un purificateur d'eau.

Les plus

✓ *Anti-vieillissement*

Le régime combat l'inflammation qui accélère le vieillissement des tissus. Les aliments à charge glycémique élevée (les féculents raffinés et les sucres concentrés), les acides gras saturés sont associés à des taux élevés de marqueurs de l'inflammation.

✓ **Satiété et bien-être**

Grâce à un apport très élevé en protéines et en fibres, le régime procure une sensation de satiété à long terme.

✓ **Facilité**

Le régime peut être suivi chez soi ou à l'extérieur. La seule difficulté peut résider dans la consommation de protéines végétales et de fibres en grande quantité.

Les moins

✓ *Irritation des intestins*

L'apport en fibre doit se faire progressivement pour les personnes peu habituées ou souffrant de troubles tels que l'intestin irritable, la colite…

✓ *Effets controversé des suppléments*

La supplémentassions en vitamines et minéraux reste controversée par les scientifiques. Les vitamines C, E, sélénium et bêta-carotène peuvent avoir des effets néfastes à haute dose. Les dosages peuvent ne pas convenir à chaque personne.

En savoir plus

Andrew Weil, *Spontaneous Healing: How to Discover and Enhance Your Body's Natural Ability to Maintain and Heal Itself* , Ballantine Books.

Menu type

Petit déjeuner : Pain complet, tofu, orange/

Déjeuner : salade de légumineuses, tomates, champignons, chocolat noir, thé vert.

Goûter : graines de soya.

Dîner : Saumon grillé avec herbes et sauce moutarde, macédoine de légumes frais, couscous aux amandes, figues.

Miami : des aliments de choix

Caractéristiques

- **Durée du régime :** 2 semaines (phase 1) puis à vie ;
- **Efficacité :** 3 à 4 kilos les 2 premières semaines ;
- **Effet yoyo :** faible (sauf phase 1) ;
- **Choix d'aliments :** moyen ;
- **Aliments privilégiés :** fruits, légumes, céréales complètes, viandes rouges ou blanches, poisson, fromages, œufs, noix, graisses végétales (huiles d'olive, pépin de raisin, colza, noix), laitages écrémés ;
- **Aliments à surveiller :** aliments à charge glycémique élevée ;
- **Aliments interdits :** sucres et céréales raffinés (farine blanche, sucreries, desserts ou gâteaux industriels), l'alcool, graisses animales (beurre, fromages gras, lait entier, charcuterie,…) ;
- **Difficulté du régime :** élevée en phase 1 ;
- **Diversité des recettes** : moyenne ;
- **Prix :** moyen ;
- **Exercice physique :** - ;
- **Public :** tous (en phase 3).

Les origines

Le cardiologue Agatston, de South Beach Miami en Floride, a constaté que la plupart des tentatives de régimes échouaient même chez les personnes très motivées à cause de leurs problèmes de santé. Il met au point un nouveau régime intitulé "The South Beach Diet" pour perdre du poids et rétablir les taux de cholestérol, de triglycérides et de sucre dans le sang. Le régime se base sur une hygiène de vie équilibrée et une alimentation où la qualité est aussi importante que la quantité.

Les principes

✓ *Le régime suit trois phases :*

1. Une phase stricte (2 semaines) : les féculents et sucres sont interdits. Le régime se compose de protéines (viande maigre, œuf, poisson, fruit de mer) et de légumes. Les bons gras comme l'huile de canola et d'olive sont autorisés. Les céréales, et certains légumes comme les carottes ou les betteraves, les produits laitiers, les sucres, sont interdits.

2. Une phase équilibrée (jusqu'au poids idéal) : les aliments interdits sont progressivement réintroduits. On privilégie les aliments possédant un faible index glycémique, principalement des fruits et céréales complètes, les laitages allégés. Les céréales raffinées et certains légumes et fruits sont encore interdits (carottes, maïs, pomme de terre, betterave, melon, banane, ananas, raisin).

3. Une phase de stabilisation (à vie) : Lorsque l'on a atteint son poids idéal, on peut manger de manière non restrictive les bons aliments que l'on a appris à reconnaître et qui contiennent de bonnes graisses et de bons glucides. Les aliments à index glycémique élevé doivent être consommés occasionnellement et en petite quantité.

Les plus

✓ **Un régime simple**

Les principes du régime sont simples et sans contrainte et peuvent être appliqués facilement chez soi ou à l'extérieur.

✓ **Perte de poids et satiété**

On ne compte pas les calories, ce qui permet de manger à satiété. De plus, les en-cas légers sont autorisés en cas de besoin. On perd du poids rapidement pendant la première phase du régime, les autres phases permettent de perdre encore du poids ou de le stabiliser.

✓ **Variété**

Mis à part la première phase, pendant laquelle les aliments sont très limités (absence de glucides), le régime se compose d'une assez grande variété d'aliments, d'autant plus que les écarts vers des produits à index glycémique élevé sont autorisés. Les aliments non raffinés, les glucides à index glycémique bas, les bonnes graisses, fournissent une alimentation saine.

Les moins

✓ **Difficulté (phase 1)**

La première phase du régime Miami interdit les glucides, ce qui rend le régime monotone et difficile à suivre au restaurant ou chez des amis. De plus, l'absence de glucides peut entraîner des carences, une diminution de la tonicité musculaire et une grande fatigue. Il est préférable de ne pas pratiquer d'activité intense pendant cette phase.

✓ **Aspartame controversé**

L'aspartame, qui est recommandé dans le régime Miami, est aujourd'hui très controversé quant à ses effets sur la santé. De plus, cela n'aide pas à éliminer le besoin de sucre que ressentent les personnes habituées à en consommer.

Menu type (phase 1)

Petit Déjeuner : café décaféiné ou thé, jus de tomate, céréales complètes et lait écrémé.

Collation : un yogourt à 0 %.

Déjeuner : Salade de tomates, champignons, blanc de poulet.

Collation : pomme, fromage allégé.

Dîner : poulet et légumes grillés, ricotta ;

Collation : pistaches, chocolat noir.

En savoir plus

Arthur Agatston et Martine Lizambard, *Le régime Miami (South Beach Diet),* Pocket.

Arthur Agatston, *Les recettes du Régime Miami*, Solar.

Arthur Agatston*, Régime Miami : Des kilos en moins et la santé en plus de Arthur Agatston,* éditions France loisirs.

Mentalslim : tout est dans la tête

- **Durée du régime :** 5 semaines ou plus ;
- **Efficacité :** 6 à 8 kg en 5 semaines ;
- **Rapidité :** moyenne ;
- **Effet yoyo :** non ;
- **Aliments à privilégier :** légumes et fruits, céréales, féculents, viandes et poissons ;
- **Aliments à surveiller :** matières grasses ;
- **Difficulté du régime :** moyen ;
- **Diversité des recettes :** élevée ;
- **Prix :** moyen ;
- **Exercice physique :** oui ;
- **Public :** tous.

Les origines

Formé à l'hypnose Ericksonienne et praticien en « Emotional Freedom Techniques », Jean-Michel Gurret est spécialiste de la gestion du poids, des émotions et du stress. Il a développé avec Florence Guérin, spécialiste de la nutrition, une méthode thérapeutique destinée à lutter contre le surpoids et appliquée au sein de son association Hyland et auprès de nombreux chefs d'entreprise, et aujourd'hui par le biais d'Internet.

Les principes

La méthode MentalSLIM est une méthode originale qui vise à favoriser un amincissement facile et durable. Elle utilise la gestion des émotions avec l'EFT (Emotional Freedom Techniques), la relaxation et un programme alimentaire simple et pratique.

La méthode est basée sur l'écoute du corps et de ses sensations de faim, de rassasiement et de satiété, à travers un programme d'enregistrement audio. Un travail de compréhension de l'image de soi, de ses émotions et de leurs éléments déclencheurs permet d'éliminer en douceur les croyances négatives et limitatrices et de retrouver la ligne, mais aussi confiance et estime.

Les comportements alimentaires sont dictés par notre corps, suivant quatre étapes : les capteurs transmettent au cerveau ce qui se passe dans le corps, les informations circulent par la voie neurale et la voie humorale (par les hormones), les informations sont traitées par le cerveau de façon inconsciente, le cerveau dicte le comportement alimentaire en stimulant ou inhibant la faim, à travers les neurotransmetteurs (adrénaline, sérotonine…). Sous l'influence des émotions, des convictions, ou pensées, nous ne sommes pas toujours réceptifs aux informations données par notre corps en matière d'aliments (les sensations alimentaires), on ne suit pas les bonnes recommandations de notre organisme et on peut prendre du poids. Pour palier à ces problèmes, il faut évacuer ses émotions négatives. Le régime Mental Slim propose de recourir à la technique de l'EFT (Emotional Freedom Techniques). La technique de libération émotionnelle est une forme d'acupression qui a pour but de rééquilibrer les méridiens perturbés afin de libérer les émotions négatives (telles que la tristesse, la peur, l'anxiété…), d'aider à résoudre les problèmes physiques (tels que les douleurs, l'obésité, la mauvaise image de soi...), ou de combattre certains comportements (tabagisme, envies compulsives, bégaiement…). En agissant sur les méridiens tout en en pensant à ce qui nous dérange, on n'en ressent plus la charge émotive qui l'accompagne.

Les étapes

La méthode Mental Slim propose plusieurs actions quotidiennes : écoute d'enregistrements d'autohypnose d'une durée de 15 minutes, exercice d'entraînement quotidien à son rythme, des conseils d'éducation alimentaire.

Semaine n°1 : Travailler son objectif minceur pour en faire une force de motivation puissante et attrayante. Renforcer sa motivation par une première perte de poids. Apprendre l'EFT et se débarrasser des pensées limitantes.

Semaine n°2 : Renforcer sa motivation, selon les modèles utilisés par les sportifs de haut niveau. Intégrer les bonnes habitudes.

Semaine 3 : Identifier ses blocages pour les supprimer et revoir ses objectifs à la hausse, éventuellement. Travail sur la respiration.

Semaine n°4 : Adopter des pensées saines qui vous aident à atteindre ses objectifs, et se sentir au top.

Semaine 5 : Apprendre à gérer le stress, les angoisses et même renforcer les défenses immunitaires et les hormones grâce à l'EFT.

Semaine 6 : Poursuivre ou stabiliser après une perte de 6 à 8 kilos.

Semaine 7 : Définir votre plan de vie à un an, dans six directions : l'alimentation, l'exercice physique, les loisirs, la créativité, la société et les raisons de vivre.

Semaine 8 : Dresser un premier bilan des changements dans son corps, sa vie, son entourage. En ayant intégré la relaxation et la visualisation, les effets sont visibles notamment en matière d'énergie, de confiance en soi.

Troisième mois : Renforcement et ancrages des nouvelles habitudes.

Les plus

✓ *Ecoute*

Le régime est basé sur un travail psychologique d'écoute de soi qui a pour but d'apprendre à maîtriser ses émotions et ses pensées négatives. Les enregistrements sont un bon soutien psychologique qui aide à renforcer sa motivation. Les médecins et diététiciens répondent aux questions posées sur le site internet. Un forum permet de partager son expérience et de se soutenir.

✓ *Equilibre*

Le régime est hypocalorique mais bien équilibré. Il contient tous les nutriments essentiels (protéines, lipides, glucides). Une certaine liberté permet de composer ses repas à son goût avec l'aide d'une table d'équivalence.

Les moins

✓ *Difficulté*

La mise en œuvre du régime est contraignante et nécessite de suivre un programme rigoureux, dans lequel il faut consacrer au moins 10 minutes par jour à l'écoute des enregistrements MP3.

En savoir plus

http://mentalslim.aujourdhui.com/

Exemple de menu

Petit déjeuner : café ou thé, pain (2 tranches), 10 g de beurre, 1 yaourt demi écrémé, 1 fruit.

Déjeuner : 100g de crudités, viande (120g), pois cassé (200g), 10g d'huile, 1 morceau de fromage.

Collation : 1 laitage ou 2 kiwis.

Dîner : brocolis (200 à 300g), 2 œufs, huile (10g), pain (2 tranches), fromage blanc 20% (100g), ananas (200g).

Le régime californien : un mode de vie

Caractéristiques :

- **Durée du régime :** à vie ;
- **Efficacité :** variable ;
- **Rapidité :** variable ;
- **Effet yoyo :** faible ;
- **Choix d'aliments :** très varié ;
- **Aliments privilégiés :** l'huile d'olive, les fruits, les légumes et les céréales complètes (riz sauvage, quinoa, pâtes complètes…) ;
- **Aliments interdits :** Sucre, édulcorant, et fruits (en début de régime) ;
- **Difficulté du régime :** facile ;
- **Diversité des recettes** : grande ;
- **Prix :** raisonnable ;
- **Exercice physique :** aucun ;
- **Public :** actifs, hommes et femmes.

Les origines

Issu de la région de Sonoma en Californie, au nord de la baie de San Francisco, ce régime s'inspire de l'alimentation méditerranéenne. A consommer sans modération : l'huile d'olive, les fruits, les légumes et les céréales complètes (riz sauvage, quinoa, pâtes complètes…).

Les principes

Le régime californien rejette les contraintes. Les aliments ne sont plus pesés ni cuisinés. Au contraire des plats préparés, à éviter à tout prix, on préférera les légumes de saisons et les aliments naturels n'ayant pas subi de transformation afin d'optimiser leur teneur en éléments nutritifs. Le repas doit rester un moment de plaisir à partager en famille.

Les étapes

✓ *Le régime se divise en trois phases :*
  1. Phase d'amaigrissement.

Pendant 10 jours on désintoxique l'organisme. Sucre, édulcorant, et fruits sont interdits. On a le droit par contre de boire un verre de vin par jour.

2. Poids idéal

La deuxième phase continue jusqu'à l'obtention de son poids idéal. La perte de poids doit être régulière. Les fruits, et certains légumes (artichaut, potiron, petits pois…) sont réhabilités dans l'assiette.

3. Phase d'entretien

La phase d'entretien permet d'adopter un véritable style de vie et non plus un régime amaigrissant. L'hygiène alimentaire est devenue prioritaire au régime. On peut se permettre quelques petits écarts occasionnels

Les plus

Les glucides (céréales complètes) provoquent un sentiment de satiété et donne de l'énergie. L'alimentation équilibré et variée n'entraîne pas de carence.

Exemple de menu

✓ *Phase 1*

Petit déjeuner : 25 % de céréales, 75 % de protéines (œuf, jambon…).
ou 50 % de laitage (yaourts et laitages maigres) et 50 % de céréales.
Déjeuner : 40 % de protéines (viandes maigres, poissons, œuf…) et 60 % de légumes.
Dîner : 30 % de protéines (viandes maigres, poissons, œuf…), 20 % de céréales complètes et 50 % de légumes.

✓ *Phase 2 et 3 :*

Petit-déjeuner : 25 % de céréales, 75 % de protéines (œuf, jambon…) ou 50 % de laitage (yaourts et laitages maigres) et 50 % de céréales.
Déjeuner et Dîner : 25 % de protéines (viandes maigres, poissons, œuf…) ou laitages (maigre, au lait écrémé), 25 % de fruits, 25 % de légumes, 25 % de céréales complètes

En savoir plus

Connie Guttersen, *Le régime californien*, éditions France Loisirs.

Weight watchers : un régime sous haute surveillance

Caractéristiques :

- **Durée du régime :** court ou long terme ;
- **Efficacité :** un kilo par semaine ;
- **Rapidité :** lent ;
- **Effet yoyo :** non ;
- **Aliments privilégiés :** fruits et légumes, huiles (olive, colza, tournesol, lin), céréales complètes, protéines, produits laitiers allégés ;
- **Aliments interdits :** non ;
- **Difficulté du régime :** faible ;
- **Diversité des recettes** : grande ;
- **Prix :** moyen ;
- **Facilité des préparations :** oui ;
- **Exercice physique :** conseillé ;
- **Public :** les méthodiques, hommes et femmes (programmes adaptés) ;
- **People :** Sarah Ferguson.

Les origines

Créé en 1963 par Jean Nidetch, le régime Weight Watchers ou « surveillance du poids » a connu un grand succès aux Etats-Unis et dans le monde entier. Les groupes de soutien et le suivi régulier sont le fer de lance de ce régime hypocalorique. Le régime évolue avec le temps vers moins de restrictions caloriques. Près d'un million de personnes participent aujourd'hui aux groupes Weight Watchers dans une trentaine de pays.

Les principes

Une des caractéristiques essentielles de ce régime est l'organisation de rencontres hebdomadaires qui apportent soutien et motivation. Des réunions de groupe hebdomadaires de 45 minutes en salle ou sur internet permettent de suivre ses progrès, de se motiver et de se soutenir. Une animatrice, qui a elle aussi perdu du poids en suivant la méthode, conseille et informe les membres sur la nutrition et la forme. A travers les réussites et les échecs des autres participants, on apprend soi-même à contrôler sa perte de poids. Des petites conférences abordent différents aspects de la nutrition. On s'échange également des idées et des astuces. Si on le souhaite, on peut également utiliser des livrets ou des CD-ROM.

Un conseil scientifique, composé de diététiciens, de chercheurs et de médecins, participe à l'élaboration du régime.

La perte de poids est progressive. Il est conseillé de ne pas perdre plus d'1 kilogramme par semaine.

En règle générale, le programme recommande de manger tous les jours au moins cinq fruits et légumes, des huiles (olive, colza, tournesol, lin), deux produits laitiers allégés, des céréales complètes, des protéines, et de boire au minimum un litre d'eau par jour. Enfin, il faut prendre un supplément de multivitamines et minéraux et limiter la consommation de sucre et d'alcool.

Pour surveiller son poids, le régime prévoit deux options :

> l'option Alibase permet de manger à volonté, mais seulement des aliments permis.

> l'option FlexiPoints détermine un nombre de portions par jour répartis en fonction de leur catégorie (protéines, lipides, glucides).

Si l'on pratique une activité physique, la ration alimentaire peut être augmentée.

✓ ***L'option Flexipoints***
En fonction de ses caractéristiques personnelles (âge, poids, taille) et de son mode de vie, le régime fixe pour chacun le nombre de "points" autorisés, équivalents à des calories. On peut manger n'importe quel aliment, mais en respectant le nombre de points déterminé pour une journée. En moyenne, l'apport est de 1000 à 1800 kilocalories par jour. Les aliments sont classés en fonction de leur teneur en calories, en matières grasses et en fibres.

Les exercices physiques, d'une durée de vingt minutes minimum, permettent de gagner de nouveaux points à dépenser. Trente cinq points sont réservés aux écarts éventuels, soit sept points par jour.

✓ ***L'option Alibase***
Avec l'option Alibase, seuls certains aliments sont autorisés, mais on peut les manger à volonté sans compter les portions. On doit donc se limiter à une liste d'aliments de base, des aliments très sains et peu caloriques. Le pain, les jus de fruits, ou la mayonnaise ou les aliments gras en général ne peuvent pas être consommés tous les jours. Comme dans l'option Flex, une réserve est attribuée pour les petits écarts chaque semaine.

Aliments à consommer à volonté : fruits et légumes, soupe, pâtes de blé entier, riz brun, viandes maigres, volailles, poisson, œufs, produits laitiers sans matière grasse, pommes de terre et céréales (limité à une fois par jour), huile (olive, carthame, tournesol ou lin), café, thé et boissons sans sucre.

Les plus
✓ *Liberté*

Avec l'option flexipoints, à condition de ne pas dépasser son nombre de points, on peut manger ce que l'on aime. Il n'y a pas d'interdiction. Avec l'option Alibase, on peut manger à volonté un nombre limité d'aliments.

✓ *Personnalisation*

Le régime Weight Watcher est adapté est à chacun, homme ou femme, de tout âge. Le régime est facile à suivre et à appliquer, même à long terme. L'option Flexipoints permet une grande variété dans l'alimentation et peut s'appliquer aussi bien à la maison, que chez des amis, au travail ou au restaurant. L'option Alibase peut également s'appliquer partout, il suffit de faire le bon choix d'aliments.

✓ *Efficacité*

Le régime permet une perte de poids régulière qui limite l'effet yoyo. Le régime bénéficie de quarante années d'expérience et s'appuie sur des conseils éclairés de nutritionnistes et diététiciens compétents.

Les moins
✓ *Contraintes*

Le régime impose un suivi régulier qui peut sembler contraignant, car il faut compter les points à l'avance. Les réunions en ligne ne correspondent pas à l'aspect convivial des groupes.

✓ *Frustration*

Le régime option flexipoints est très restrictif en nombre de calories (1000 à 1800) tandis que le régime option alibase peut sembler monotone en raison du faible nombre d'aliments autorisés.

✓ *Coût*

Le régime nécessite une adhésion au programme

Exemple de menu

✓ *Menu Flexipoints à 22 points (pour un poids de 70 kilos environ)*

Déjeuner : 250ml de céréales (2 points), 250 ml de boisson de soya (2 points), 30 g de fromage léger (1 point), 1 kiwi (1 point).

Repas : 1 pain pita de blé entier (1 point), 125 ml de thon (3 points), 15 ml de mayonnaise (3 points), 125 ml de jus de légumes (0,5 points), 1 orange (1 point), crudités (0 point).

Collation : Yaourt nature (1 point), un fruit (1 point).

Repas du soir : 120 g de boeuf haché (5 points), 250 ml de haricots jaunes (0 point), pain (1 point).

Menu Alibase

Petit Déjeuner : céréales complètes, lait écrémé, 2 fruits.

Déjeuner : quinoa, poulet, légumes.

Collation : yaourt à 0% sans sucre, 1 fruit.

Dîner : lentilles, riz brun, légumes.

En savoir plus :

www.weightwatchers.fr

Weight Watchers, *Le plaisir de maigrir, 179 recettes pour mieux vivre votre programme minceur,* Edition Poche.

Weight Watchers, *Les secrets de la minceur, Weight Watchers* , Guide Edition Poche.

Weight Watchers, *Saveurs et équilibre : 150 Nouvelles recettes et des menus par Weight Watchers,* Edition Poche.

Mayo : le régime œufs durs

Caractéristiques :

Durée du régime : 14 jours ;

Efficacité : de 5 à 7 kilos en 2 semaines ;

Rapidité : importante ;

Effet yoyo : élevé ;

Choix d'aliments : faible ;

Aliments privilégiés : œufs (6) ;

Aliments interdits : matières grasses, les féculents et légumes secs, les produits sucrés et les laitages ;

Aliments à surveiller : fruits, céréales ;

Difficulté du régime : très difficile ;

Diversité des recettes : faible ;

Prix : économique ;

Exercice physique : aucun ;

Public : femmes, inactifs.

Les origines

Contrairement à ce que son nom pourrait laisser entendre, il ne s'agit pas du tout d'un régime à base de mayonnaise. Ce régime doit son nom à la clinique d'amaigrissement du Minessota aux Etats-Unis, du nom de Mayo, qui a été développé ce régime dans les années 80. Le régime, très restrictif, est destiné aux personnes souhaitant maigrir très rapidement. Difficile à suivre et source de nombreux désagréments, il a néanmoins toujours ses candidats à la recherche d'une perte de poids importante.

Les principes

Selon l'ouvrage de la clinique Mayo, *Le poids santé,* la perte de poids permet le contrôle du diabète plus facile, c'est le poids dit santé. Grâce à elle, la médication peut souvent être réduite, tandis qu'un surplus de poids doit être compensé par plus de médicaments, aux effets secondaires souvent nocifs. Le régime prône une perte de poids imposée par la volonté et se veut éloigné des recettes miracles souvent coûteuses et temporaires. Pourtant, le livre consacre plusieurs chapitres aux médicaments amaigrissants et aux opérations chirurgicales destinées à la perte de poids.

Le régime Mayo est un régime hypocalorique très strict, avec une ration calorique qui ne doit pas dépasser 1000 calories par jour et de nombreux interdits. Selon le principe de ce régime, le corps doit en effet puiser dans ses réserves pour maigrir. Un programme de 14 jours permet de perdre beaucoup de poids de manière rapide en suivant avec rigueur un menu imposé d'environ 800 kilocalories en moyenne.

Le régime est déséquilibré : les féculents, légumes secs, laitages, sucres ou matières grasses sont en effet interdits. Les légumes consommés doivent être choisis parmi la salade, les tomates, les concombres, les céleris, les épinards ou les courgettes. Les fruits ne sont autorisés qu'en faible quantité. Les œufs peuvent être consommés en très grande quantité (6 à 7 par jour), car ils sont riches en protéines et ont un effet coupe faim. Les boissons sans sucre (eau, infusions, thé...) ne sont pas limitées et peuvent être bu tout au long de la journée.

Le nombre de repas est limité à trois. Le régime n'autorise que très peu de laitages.

L'efficacité du régime Mayo est réelle à court terme. On estime la perte de poids moyenne de cinq kilogrammes en quinze jours et même sept ou huit kilogrammes chez certaines personnes. A moyen terme, l'effet yoyo est tout aussi certain que l'était la perte des kilos.

Les plus

✓ Perte de poids

La perte de poids est importante et rapide (5 à 6 kilos en 2 semaines).En suivant, les menus sans faire d'écarts, on est sûr de perdre du poids, ce qui apporte une certaine motivation. Les œufs durs ont un effet rassasiant.

✓ *Rapidité*

Le régime est simple, rapide et économique. Aucune préparation particulière n'est demandée. Le régime peut être suivi à la maison ou à l'extérieur.

Les moins

✓ *Effet yoyo*

La reprise des kilos perdus après le régime est quasi inévitable. Il n'y a pas de programme après régime qui permettrait de stabiliser le poids. Le régime n'apporte aucun enseignement nutritionnel et culinaire.

✓ *Carences*

Le faible apport calorique et le déséquilibre alimentaire du régime sont dangereux. L'absence de féculents, laitages, matières grasses et fruits provoque des carences en protéines, calcium, vitamines, minéraux, oligo-éléments et entraînent une perte du tissu musculaire et osseux, une fatigue, un risque d'ostéoporose. La quantité faible de fruits et légumes entraîne également une carence en vitamines et minéraux. A l'inverse, le régime est trop riche en cholestérol et favorise à long terme les risques cardio-vasculaires.

✓ *Frustration*

La sensation de faim est intense, pouvant provoquer des crises de boulimie. La monotonie des menus entraîne également un sentiment de frustration.

✓ *Difficulté*

Le régime peut être difficilement suivi à l'extérieur, au restaurant ou chez des amis. Le régime ne peut pas être suivi avec une activité normale professionnelle, sportive ou sociale, car il provoque une fatigue intense. Il peut conduire à des troubles du comportement alimentaire de type boulimie.

Exemple de menu :

Petit déjeuner (tous les jours) : 1/2 pamplemousse, un ou 2 œufs durs, café ou thé sans sucre.

Déjeuner : 2 œufs sans matière grasse ou 100 grammes de viande, légumes, 1/2 pamplemousse, café ou thé sans sucre.

Dîner : 2 œufs, légumes, une biscotte, café ou thé sans sucre.

Ou

Déjeuner : 2 œufs à la coque sans matière grasse, salade mixte sans huile, café ou thé sans sucre.

Dîner : 2 œufs à la coque, une tomate, café ou thé sans sucre.

En savoir plus

Clinique Mayo, *Le Poids santé*, Editions Lavoie Broquet.

Soupe : nettoyer l'organisme

Caractéristiques :

- **Durée du régime :** 14 jours ;
- **Efficacité :** de 5 à 7 kilos ;
- **Rapidité :** 2 semaines ;
- **Effet yoyo :** très élevé ;
- **Choix d'aliments :** varié ;
- **Aliments privilégiés :** légumes verts ;
- **Aliments interdits :** banane ;
- **Aliments à surveiller :** légumineuses, protéines très maigres (fromage blanc maigre ou yaourt, poisson, viande blanche) ;
- **Difficulté du régime :** très difficile ;
- **Diversité des recettes** : faible ;
- **Prix :** raisonnable ;
- **Exercice physique :** déconseillé ;
- **Public :** inactifs, femmes.

Les origines

Le régime soupe a été conçu pour faire maigrir rapidement les patients obèses avant une intervention chirurgicale dans un hôpital américain. Comme son nom l'indique, le régime fait la part belle aux soupes et promet une perte de 5 à 7 kilos en une semaine. Il existe plusieurs versions de ce régime.

Les principes

La version classique consiste à avaler un bol de soupe aux choux à chaque repas, tous les jours. Les légumes ne doivent ni être moulinés ni mixés pour apporter un effet rassasiant. Le chou aurait la propriété de brûler les graisses. Une théorie laisse entendre que l'organisme brûlerait plus de calories pour la digestion de cette soupe que la soupe elle même n'en apporterait.

La soupe doit être réalisée avec les ingrédients suivant : quatre gousses d'ail, 500 grammes de tomates pelées, cinq oignons, un chou, trois litres d'eau, deux poivrons, six carottes, un céleri, persil, sel, poivre, herbes de Provence. On prépare la soupe en faisant blanchir le chou dans l'eau bouillante pendant 30 minutes. Dans un deuxième temps, on coupe les légumes en morceaux et on les fait bouillir pendant 10 minutes, puis à feu moyen jusqu'à ce que les légumes soient tendres.

La soupe est composée de légumes frais qui ne sont pas mixés pour augmenter leur effet rassasiant. Elle doit être consommée aux repas principaux et accompagnée d'aliments riches en protéines maigres comme le fromage blanc ou yaourt, le poisson, la viande blanche et les fruits en quantités limitées. Des compléments alimentaires tels que les vitamines (pour lutter contre les carences) ou le thé vert, l'ananas, les queues de cerise (pour leurs propriétés drainantes) sont également prescrits en gélule ou en tisane.

Des ouvrages proposent de nombreuses variantes de la recette traditionnelle. La soupe peut être réalisée à partir de légumes de saison bouillis.

Le régime a pour ambition d'empêcher l'accumulation de graisses et leur dépôt sur la paroi des artères, tout en augmentant la masse musculaire et préservant le capital santé pour vivre mieux plus longtemps.

✓ *Le régime se décompose en deux étapes :*

Une phase de régime sévère avec moins de 1000 calories par jour pendant 7 jours. Au menu : soupe le matin, soupe le midi, et soupe le soir. La soupe a un effet rassasiant qui doit permettre d'éviter les grignotages

Une phase de stabilisation avec 1200 calories par jour pendant 7 jours également, pour éviter de reprendre les kilos perdus.

Selon un sondage réalisé par le site http://www.soupe.free.fr consacré au régime soupe, réalisé sur près de 10000 visiteurs, 65,9 % pensent que le régime est très efficace, 66,6 % pensent qu'il est rapide et seulement 29,4 % le trouvent facile à suivre, et 37,8 % pensent que les effets santé du régime sont très bons.

Les plus

✓ *Perte de poids*

La perte de poids est rapide et importante (5 à 7 kilos). Les légumes peuvent être consommés à volonté et procurent un effet de satiété. La rapidité de la perte de poids est encourageante.

✓ *Détoxification*

C'est un régime riche en légumes et eau qui permet d'éliminer les toxines et de nettoyer le système digestif. Le régime apporte une sensation de bien être et permet de retrouver de bonnes habitudes alimentaires.

Les moins

✓ *Effet yoyo*

Ce régime très restrictif et monotone entraîne une reprise de poids inévitable. Par son effet diurétique et laxatif, on perd beaucoup d'eau. Le transit intestinal augmente ce qui permet de nettoyer le système digestif et perdre du poids. Par sa faible teneur en glucides et en protéines l'organisme va perdre de la masse musculaire, mais peu de graisse. La théorie selon laquelle la digestion de la soupe entraînerait une perte de calories supérieure à celles de la soupe elle-même n'est pas fondée.

Le ralentissement du métabolisme et la perte de masse musculaire va favoriser une reprise de poids supérieure au poids précédemment perdu, même après la phase de stabilisation.

✓ *Carence*

Le régime ne convient pas du tout aux personnes ayant une activité physique. Il est beaucoup trop restrictif pour les hommes ou les sportifs. Le régime peut entraîner de la fatigue ainsi qu'une perte de la masse musculaire et osseuse.

✓ *Monotonie*

La soupe aux choux devient vite monotone. Certaines personnes en viennent même à ne plus en supporter l'odeur.

✓ *Troubles intestinaux*

Le régime peut provoquer des troubles digestifs et intestinaux avec ballonnements.

Exemple de menu

Lundi : soupe et fruits à faible teneur calorique.

Mardi : soupe et légumes à volonté, frais, crus ou cuits à la vapeur.

Mercredi : soupe, fruits et légumes verts.

Jeudi : soupe, banane à volonté et lait écrémé.

Vendredi : soupe, viande de bœuf et tomates.

Samedi : soupe, bœuf et légumes verts.

Dimanche : soupe, riz brun, fruits et légumes.

En savoir plus

http://www.soupe.free.fr/

Claire Pinson, *Le régime brûle graisses. Maigrissez grâce aux aliments brûleurs de graisse*, Marabout.

Le jeûne : pour purifier l'organisme

Caractéristiques :

- **Durée du régime :** un à 10 jours (jeûne partiel) ;
- **Efficacité :** importante ;
- **Rapidité :** 5 kilos en une semaine ;
- **Effet yoyo :** important ;
- **Choix d'aliments :** bouillons de légumes, jus de fruits, tisanes ;
- **Aliments interdits :** tout le reste ;
- **Difficulté du régime :** difficile ;
- **Diversité des recettes** : aucune ;
- **Prix :** - ;
- **Exercice physique :** interdit ;
- **Public :** hommes et femmes inactifs.

Les origines

Le jeûne est une pratique ancestrale qui peut avoir un but philosophique ou religieux. L'abstention de nourriture est pratiquée généralement pour purifier l'esprit et l'organisme. Les médecines douces font appel au jeûne pour nettoyer le corps et soulager les maux. Utilisé comme un régime, il comporte de nombreux dangers pour la santé et a des conséquences néfastes sur l'organisme. Le régime entraîne des carences et une fatigue intense et doit être suivi en période d'inactivité.

Les principes

Dans le jeûne complet, l'alimentation est totalement exclue (diète hydrique) ou bien limitée à un apport calorique minimal (jeune partiel) assuré par des bouillons de légumes et des fruits qui apportent glucides, vitamines et minéraux, éventuellement de suppléments alimentaires. L'objectif est de puiser l'énergie dans les réserves en sucre et en graisses de l'organisme. Une fois les réserves de l'organisme épuisées, le jeûne doit prendre fin pour éviter tout dégât irréversible.

✓ *Il convient de respecter 3 étapes :*

Préparation : Il s'agit de diminuer les rations alimentaires à chaque repas et de consommer des aliments végétaux en priorité, en évitant les aliments préparés et en diminuant la consommation de la viande, du poisson, des œufs et produits laitiers. Il faudra exclure pendant 5 jours le tabac, l'alcool et les excitants et boire beaucoup d'eau.

Jeûne complet ou partiel : Il faut boire uniquement l'eau (jeûne complet) ou tisanes, bouillons de légumes, jus de fruits (jeûne partiel).

Réalimentation : Il faudra retrouver progressivement son alimentation habituelle en privilégiant les légumes cuits et crus, les fruits frais ou secs, les graines germées, les céréales complètes et en évitant les aliments raffinés, le café, le pain, le fromage, les viande, poissons… Une période d'exercice physique est recommandée.

✓ *Des précautions sont indispensables avant d'entreprendre un jeûne :*

Il faudra consulter un professionnel de la santé qui établira un bilan santé et suivra les étapes du jeûne au quotidien à travers des examens de contrôle (pouls, pression artérielle, poids…).

Les plus

✓ *Perte de poids*

La perte de poids est rapide et importante. Elle est due à l'élimination d'eau et de sel et par la perte de protéines et de graisses.

✓ *Satiété*

La sensation de faim en début de jeûne s'estompe deux ou trois jours après et laisse place à une sensation de légèreté euphorisante, une sensation de bien être.

✓

Effet curatif

Le jeûne soulagerait certains maux comme la constipation, rhumatismes, allergies, asthme, migraine, sinusite, eczéma, maladies du foie...

Les moins

✓ *Carences multiples*

Un risque accru d'infections est à craindre en raison de défenses immunitaires amoindries, d'une fatigue intense, incompatible avec une vie active sociale et professionnelle.

✓ **Fonte musculaire**

L'organisme va puiser dans les sucres de réserve (glycogène) du foie, puis, après environ deux jours, l'organisme va puiser dans les acides gras des tissus adipeux et enfin dans les protéines constitutives des muscles, entraînant une fonte musculaire importante.

✓ **Effet yoyo**

L'organisme stockera tout apport excessif de manière d'autant plus importante que le jeûne aura été long. La reprise de poids est inévitable.

Effets secondaires

Des maux de tête, insomnie, nausée, étourdissements, douleurs musculaires peuvent apparaître puis s'estomper progressivement. Les risques graves d'accidents cardio-vasculaires rendent le suivi médical impératif.

En savoir plus

Françoise Wilhelmi de Toledo, *L'art de jeûner : Manuel du jeûne thérapeutique*, Editions Jouvence.

Sophie Lacoste, *Les surprenantes vertus du jeûne*, Leduc Editions.

Hellmut Lützner, *Comment revivre par le jeûne : Maigrir, éliminer, se désintoxiquer Le guide du jeûne autonome*, Editions Terre vivante

The Zone : le juste milieu

- **Durée :** à vie ;
- **Efficacité :** entre 4 et 6 kilos en 2 semaines ;
- **Rapidité :** importante ;
- **Effet yoyo :** important ;
- **Choix d'aliments :** variété limitée ;
- **Aliments privilégiés :** viandes maigres, laitages 0%, poisson blanc, blanc d'œuf, légumes verts cuisinés vapeur et fruits, huile d'olive, huile de poisson et de noix ;
- **Aliments interdits :** glucides à saveur sucrée (pomme de terre, betterave, carotte, courge, maïs, banane…), jaune d'œufs, alcool, viande grasse ;
- **Difficulté du régime :** difficile et rigoureux ;
- **Diversité des recettes :** faible ;
- **Prix :** raisonnable ;
- **Difficulté du régime :** difficile ;
- **Exercice physique :** conseillé ;
- **Public :** hommes et femmes méthodiques et inactifs ;
- **People :** Demi Moore, Sandra Bullock, Brad Pitt, Jennifer Aniston.

Les origines

Le régime The zone a été mis au point en 1999 par Barry Sears, pharmacien et chercheur au Massachusetts Institute of Technology. Il détient de nombreux brevets notamment en matière de régulation hormonale dans le traitement des maladies cardiovasculaires. Dans son livre *The Zone Diet* (Le juste milieu dans votre assiette), il étudie le rôle des eicosanoïdes dans la perte de poids et la prévention de nombreuses maladies telles que le diabète, le cancer, les maladies auto-immunes et cardiovasculaires. Il publie en 2003 *Le régime Oméga* qui relate les bienfaits des huiles de poisson pour lutter contre les maladies chroniques. Les stars comme Demi Moore, Sandra Bullock, Brad Pitt, Jennifer Aniston ou Madona en seraient de ferventes adeptes.

Les principes

Le principe étant de maintenir la sécrétion d'insuline stable pour permettre la perte de poids, grâce à une répartition équilibrée des catégories alimentaires : 30 % de protéines, 30 % de matières grasses,

40 % de glucides. La consommation de protéines doit représenter la moitié de la consommation de légumes verts cuisinés vapeur et fruits. Les repas doivent être pris à heure régulière et à une distance n'excédant pas un maximum de 5h. L'alimentation riche en oméga 3 se transforme en eicosanoïdes, une molécule qui a des effets anti-inflammatoires, anti-allergiques, et protecteurs sur les artères et le cœur. Le régime vise à perdre du poids, mais aussi renforcer le système immunitaire et augmenter les performances et la longévité.

Les moins

✓ *Difficulté*
Le régime est difficilement applicable au quotidien, surtout pour les repas pris à l'extérieur, car il demande une certaine planification.

✓ *Effet yoyo*
Le régime est hypocalorique, avec 1000 à 1500 calories par jour et risque d'entraîner des comportements de boulimie et une reprise rapide de poids.

✓ *Risques cardiovasculaires*
Le taux élevé de protéines risque d'entraîner des problèmes rénaux et cardiovasculaires.

✓ *Carence*
Le régime peut entraîner des carences à long terme, en vitamines B1, B2, B3, B9, en minéraux (magnésium et phosphore) et en fibres alimentaires céréalières ce qui pourrait avoir des conséquences néfastes sur la flore intestinale. Le manque de glucides peut provoquer une grande fatigue et ne convient pas à des personnes pratiquant des activités physiques intenses.

Les plus

✓ *Satiété et perte de poids*
Les protéines jouent un rôle de coupe faim et les aliments à index glycémique bas permettent de réduire la sécrétion d'insuline. Le régime, de nature hypocalorique, provoque une perte de poids.

✓ *Qualité nutritionnelle*
Le régime fait la part belle aux légumes et fruits, aux graisses mono-insaturées et polyinsaturées et aux aliments à index glycémique bas. Il limite les aliments préparés et les sucres raffinés. Les

eïcosanoides contribuent à la régulation de la tension artérielle, à l'augmentation des défenses immunitaires et anti-inflammatoires.

Menu type

Petit déjeuner : pain complet (une tranche), fromage léger (60g), 2 blancs d'œuf, huile d'olive (1c. à café), 1 kiwi.

Déjeuner : galette de blé complet, poisson (100g), mayonnaise légère (une cuillère), épinards (150g)

Collation : yogourt nature, 1 noix macadamia.

Dîner : dinde (100g), lentilles (80g), un concombre, patate douce en purée (40g), huile d'olive (1c.à soupe).

Collation : prune, tofu (90g), amandes (10g).

En savoir plus

Site internet : www.drsears.com

Ouvrages :

B. Sears, *Le régime des stars*, Le Livre de Poche.

B. Sears, *Le juste milieu dans votre assiette* (The Zone).

Dr Cohen : une rééducation alimentaire

Caractéristiques :

- **Durée du régime :** un mois ;
- **Efficacité :** jusqu'à 5 kilos ;
- **Rapidité :** rapide ;
- **Effet yoyo :** faible ;
- **Choix d'aliments :** varié ;
- **Aliments interdits :** aucun ;
- **Difficulté du régime :** facile ;
- **Diversité des recettes :** élevée ;
- **Prix :** moyen ;
- **Exercice physique :** nécessaire ;
- **Public :** tous.

Les origines

Nutritionniste de renom, Jean-Michel Cohen publie de nombreux ouvrages dans lesquels il insiste sur les notions de plaisir et de bien manger. Il participe aux émissions de diététique et culinaires sur la chaîne de télévision M6 : « Vous êtes ce que vous mangez » et « Vive la cantine » qu'il co-anime avec Cyril Lignac. Son ouvrage, *Savoir manger*, dénonce les dérapages de la grande distribution. Il créera avec les industriels de l'agro-alimentaire, un « curseur nutritionnel » pour permettre au public de mieux se repérer dans ses achats.

Les principes

Le Dr Cohen ne propose pas de remède miracle : la seule façon de maigrir est de manger moins, et de se dépenser plus. Une rééducation alimentaire qui a pour vocation de transformer chacun en mini nutritionniste. L'activité physique permet à la fois de brûler davantage de calories mais aussi de tonifier sa silhouette. Aucun aliment n'est interdit, mais il faut respecter les quantités, et un équilibre alimentaire varié. Les produits agro-alimentaires sont analysés.

Pour maigrir, il faut bien se connaître et surmonter ses mauvaises habitudes. Chaque individu a sa raison de maigrir et il est inutile d'attendre un régime miracle. A force d'essayer diverses méthodes pour mincir, on ne sait plus quand on a faim ou ce qu'il faut manger. Le Dr Cohen prône un peu plus de recul. L'objectif est de se sentir bien, de respecter l'équilibre, à son rythme, sans torturer son corps. Le régime est établi « sur mesure » et doit être adapté à sa taille, son poids, son objectif et son mode de vie. Le Dr Cohen s'attache à cerner la raison psychologique qui pousse à maigrir ou au contraire à grossir. Une rééducation alimentaire qui a pour vocation de transformer chacun en mini nutritionniste.

Plusieurs programmes sont possibles : de 900 à 1400 calories à son rythme avec fruits et légumes à volonté.

Les plus

✓ *Du bon sens*

Pour maigrir, il faut nécessairement manger moins, sans pour autant s'affamer, et se dépenser plus. Le régime est varié et équilibré. Les légumes et fruits peuvent être mangés en grande quantité. On est à l'écoute de son corps pour réapprendre à gérer soi même son alimentation.

Les moins

✓ *Difficulté*

Certains programmes sont trop hypocaloriques. Avec 600 à 900 calories par jour, l'organisme se fatigue et nécessite du repos. Le temps de préparation des recettes est parfois long. Le programme nécessite une certaine rigueur.

Menu type

Menus types pour un régime à 1400 calories :

Petit Déjeuner : café ou thé sans sucre, 30 grammes de pain, un œuf, 20 cl de lait.

Déjeuner : crudités à volonté, viande (125 g), légumes à volonté, un yaourt 0 %, fruits (150g).

Dîner : crudités à volonté, poisson (125g), légumes à volonté, un yaourt 0 %, féculents (100 g), fruits (150g).

En savoir plus

Au bonheur de maigrir, Editions Flammarion.

Savoir maigrir, Editions Flammarion.

Bien manger en famille, Editions Flammarion.

Savoir manger, le guide des aliments 2008-2009, Jean-Michel Cohen, Patrick Serog, Editions Flammarion.

Fricker : le bon sens en action

Caractéristiques

-   **Durée du régime :** 6 à 8 semaines ;
-   **Efficacité :** 2 à 5 kilos par mois ;
-   **Effet yoyo :** moyen ;
-   **Choix d'aliments :** moyen ;
-   **Aliments privilégiés :** viande maigre, volaille, poisson, légumes, huile ;
-   **Aliments à surveiller :** féculents, céréales, fruits (en phase 1) ;
-   **Aliments interdits :** sucreries ;
-   **Difficulté du régime :** élevée en phase 1 ;
-   **Diversité des recettes :** moyenne ;
-   **Prix :** moyen ;
-   **Exercice physique :** conseillé (sauf en phase 1) ;
-   **Public :** hommes et femmes méthodiques.

Les origines

Nutritionniste à l'Hôpital Bichat, le docteur Jacques Fricker aide ses nombreux patients à trouver le régime qui leur convient en fonction de leur morphologie, leur poids, leur état de santé, leur âge, leur appétit, et leur mode de vie. Il est devenu une figure incontournable dans le domaine de la minceur et publie de nombreux ouvrages sur le régime depuis plus de 15 ans.

Les principes

Selon le Dr Fricker, pour maigrir il faut limiter ses apports caloriques et se dépenser plus. Sa méthode se décompose en 3 étapes.

✓ *Le régime « grande vitesse » ou régime « TGV » (6 à 8 semaines)*
C'est un régime hypocalorique strict qui consiste à manger essentiellement des aliments riches en protéines (viande maigre, volaille, poisson), des légumes pour leurs vitamines, oligo-éléments, et fibres, et enfin un peu d'huile, pour les acides gras essentiels. Le pain, les féculents et tous les aliments sucrés sont interdits.

✓ *Le régime de « Stabilisation »*

Après la phase d'amorce à l'amaigrissement, le régime de stabilisation propose la réintroduction progressive d'aliments interdits en régime « grande vitesse » : le pain et les féculents, (2 à 3 tranches de pain complet), ou 4 à 5 cuillères à soupe de céréales au petit déjeuner, et 100 à 150 g de féculents. Une ou deux laitages maximum sont autorisés ainsi qu'un fruit par jour.

✓ *Le régime « pleine forme »*

Le régime « pleine forme » peut être suivi sur le long terme. Le pain et les féculents sont autorisés, en plus des protéines animales (viandes, poissons, œuf, produits laitiers), légumes et fruits et des acides gras essentiels. Aucun aliment n'est interdit mais on privilégiera les fruits, les légumes, les poissons et les viandes maigres.

Les plus

✓ *Adaptation*

Le régime s'adapte à la vie moderne et aux particularités de chaque individu en fonction des goûts, activités, modes de vie…

Les moins

✓ *Difficulté*

La première phase d'hypocalorie stricte est difficile à suivre dans la durée et source de frustrations, ce qui peut provoquer des troubles du comportement alimentaire type boulimie et un effet yoyo.

✓ *Carences*

Dans la première phase, les féculents et fruits sont limités ce qui peut entraîner des carences et une grande fatigue physique et intellectuelle.

Menu type

✓ *En phase 1 :*

Petit déjeuner : thé, café ou cacao sans sucre, un produits laitier 0% ou un œuf, et un fruit.

Déjeuner : crudités ou potage de légumes, viande et légumes, huile (10 g), un laitage, un fruit

Dîner : crudités ou potage de légumes, poisson, féculents et légumes à volonté, huile, 1 laitage, 1 fruit.

En savoir plus

Dr Jacques Fricker, *Le régime liberté*, éditions Odile Jacob.

Dr Jacques Fricker, *Le Régime sur mesure*, éditions Odile Jacob.

Dr Jacques Fricker, *La Cuisine du bien maigrir et Le Nouveau guide du bien maigrir*, éditions Odile Jacob.

A base de substituts : la solution de facilité

Caractéristiques :

- **Durée du régime :** 2 à 3 semaines ;
- **Efficacité :** de 3 à 5 kilos par mois ;
- **Rapidité :** élevée ;
- **Effet yoyo :** élevé ;
- **Choix d'aliments :** faible ;
- **Difficulté du régime :** difficile ;
- **Diversité des recettes :** faible ;
- **Prix (économique, raisonnable, élevé) :** élevé ;
- **Facilité des préparations : -** ;
- **Exercice physique : -** ;
- **Public :** adultes inactifs.

Les origines

A l'origine, les substituts on été conçus à des fins thérapeutiques pour les personnes hospitalisées dans l'incapacité temporaire de manger un repas solide. Les substituts contiennent tous les nutriments, vitamines et minéraux nécessaires à l'organisme. Certains ont été adaptés et allégés pour permettre un régime amincissant. En permettant de contrôler avec précision les apports caloriques, ils s'adaptent particulièrement bien à un régime amincissant.

Les principes

Le principe des régimes à base de substituts est le même qu'un régime hypocalorique, basé sur une ration journalière de 1000 à 1500 calories. On réduit ses apports énergétiques en remplaçant un ou plusieurs repas chaque jour par une préparation allégée. Les préparations sont des poudres aromatisées ou des liquides (potages, crèmes desserts…) souvent à base de protéines (lait écrémé, lactosérum ou isolats de protéines de soya), de glucides (sucres, glucose…) et de lipides (huile ou lécithine de soya), des vitamines et des minéraux mais aussi des colorants et arômes artificiels, des agents de conservation. On consomme le substitut à la place d'un repas et on complète par un fruit et un laitage pour obtenir une sensation de satiété. La durée du régime est variable en fonction du poids souhaité, mais ne devrait pas être prolongé au-delà de trois semaines.

Les plus

✓ *Equilibre*

Les préparations sont particulièrement respectueuses de l'équilibre nutritionnel et procurent les nutriments, vitamines et minéraux essentiels.

✓ *Perte de poids*

Hypocaloriques, le régime à base de substituts est efficace pour perdre du poids à court terme.

✓ *Rapidité*

Les substituts permettent de préparer un repas très rapidement. Ils peuvent être consommés n'importe où. Ceci peut permettre d'éviter de sauter un repas.

Les moins

✓ *Goût*

Même si les préparations peuvent être savoureuses, elles manquent de variété aussi bien dans la consistance que dans le goût. Vite avalées et digérées, les préparations liquides accélèrent l'apparition de la faim.

✓ *Effet yoyo*

Il est difficile de suivre un régime de restriction calorique élevé. Attention à ne pas compenser au cours des repas suivants, pour ne pas obtenir un résultat nul. L'effet de lassitude, de fatigue, l'absence de plaisir gustatif, les sensations de faim persistantes peuvent provoquer des excès inverses. Il faudra reprendre très progressivement un régime normal si on veut éviter l'effet yoyo.

✓ *Absence de convivialité*

Le régime des substituts peut entraîner un certain laxisme dans la préparation des repas qui devrait être un moment de plaisir. On ne peut acquérir de bonnes habitudes alimentaires avec des aliments et des modes de préparation sains.

✓ *Désordres intestinaux*

Pauvres en fibres, le régime à base de substituts peut perturber le transit intestinal (constipation, gonflement…). De plus certains substituts contiennent de l'huile hydrogénée ou du sucre qui ne devrait pas entrer dans la composition d'un menu amincissant.

Exemples de menu

Petit déjeuner : Un substitut de repas, un fruit.

Collation : Une tranche de pain avec margarine.

Déjeuner : Un substitut de repas, Salade verte avec vinaigrette allégée.

Collation : Un substitut.

Dîner : Escalope de poulet, riz, haricots verts, yaourt.

"Structure House" : changer ses comportements alimentaires

Caractéristiques :

- **Durée du régime :** à vie ;
- **Efficacité :** 2 à 5 kilos en 4 semaines ;
- **Rapidité :** oui ;
- **Effet yoyo :** non ;
- **Choix d'aliments :** varié ;
- **Aliments privilégiés :** légumes frais et les fruits, céréales complètes, viandes maigres ;
- **Aliments interdits :** aliments gras, salés ;
- **Difficulté du régime :** facile ;
- **Diversité des recettes** : grande ;
- **Prix :** raisonnable ;
- **Exercice physique :** conseillé ;
- **Public :** tout le monde.

Les origines

Le psychologue Gerard J. Musante a travaillé pendant 30 années dans une clinique spécialisée, en Californie du nord, dans le traitement de l'obésité. Il remarqua que les patients reprenaient du poids lorsqu'ils rentraient chez eux, dans un environnement déstructuré. Selon lui, la surconsommation de nourriture ne dépend pas seulement de l'appétit. Dans son livre, *The structure House Weight Loss Plan*, Gerard J. Musante propose d'atteindre son poids idéal à travers une nouvelle relation à la nourriture, une autre image de soi et une hygiène de vie équilibrée et structurée, dans laquelle l'activité physique joue un grand rôle également.

Les principes

Le régime « structure house » vise à transformer les habitudes alimentaires et l'hygiène de vie des personnes en surpoids et intègre les principes de base en matière de nutrition, d'exercice et de psychologie. Il apprend à surmonter des situations à risque, au restaurant, lors de repas professionnels, ou en voyage. Il donne des recettes de cuisine pour des repas sains. Des outils et des stratégies pour maintenir à long terme un poids optimal.

Pour le Dr Gerard J. Musante, ce n'est pas la nourriture qui nous fait grossir. Chacun de nous a en effet une relation spéciale avec la nourriture. Nous ne mangeons pas seulement pour nous maintenir en bonne santé, mais pour combler certaines attentes, suivre des habitudes, ou réagir à des états d'esprit. Notre alimentation est influencé par notre passé culturel, nos attitudes et nos goûts individuels. L'ensemble de ces paramètres formant notre relation à la nourriture. Même si cette relation est saine, la plupart du temps, il arrive que la relation soit problématique. Nous mangeons alors contrairement à notre intérêt, soit par habitude, soit parce que nous utilisons la nourriture comme une drogue pour nous relaxer, stimuler, consoler, tromper notre solitude ou notre ennui… Cette mauvaise relation à la nourriture nuit à notre santé. On devient moins actif, on s'isole socialement, on se dévalorise, et on se sent impuissant. Au contraire, dès que l'on retrouve un certain équilibre, on perd du poids, la santé s'améliore, on diminue les risques de maladies, on a plus d'énergie pour faire de l'exercice, ce qui permettra de perdre du poids plus rapidement et améliorera encore notre énergie et notre apparence, permettant ainsi d'avoir plus de confiance en soi et en la vie.

Le programme se compose de 4 point essentiels

✓ *Comportement*

Le régime « structure house» est une stratégie pratique pour résoudre les problèmes ou les défis de la vie quotidienne. Si l'on ressent des sentiments de dépression, anxiété, solitude ou dévalorisation, les thérapies comportementalistes aident à identifier, comprendre et transformer ces sentiments. L'objectif est de retrouver la racine émotionnelle de son problème d'alimentation et trouver des moyens efficaces de traiter les éléments déclencheurs. C'est aussi l'occasion de résoudre des problèmes d'ordre général tels que l'arrêt du tabac, le changement de carrière, les buts à long terme, la confiance en soin, l'affirmation de soi… De nombreuses thérapies peuvent être employées telles que la lecture, les thérapies de groupe, les jeux de rôle, les réunions de discussions…

✓ *Nutrition*

Le régime se compose en portions adaptées de nourriture réparties trois fois par jour. On choisira de préférence une alimentation rassasiante mais pauvre en calorie, graisse, sel et cholestérol. Les légumes frais et les fruits, les céréales complètes et les viandes maigres sont recommandés.

✓ *Exercice physique*

L'exercice est primordial dans le contrôle du poids. Il s'agit de retrouver les sensations de légèreté, énergie et force, qui sont des sensations physiques naturelles. Les exercices visent également à améliorer le système cardiovasculaire, la souplesse, renforcer la musculature, et favoriser la relaxation. Les massages relaxants sont également conseillés.

Les régimes - "Structure House" : changer ses comportements alimentaires

✓ **Support médical et psychologique.**

Le contrôle des indices médicaux permet de maigrir en toute sécurité et de mesurer les progrès : pression artérielle, taux de cholestérol, glycémie... Toutes sortes de supports extérieurs sont proposés pour soutenir le patient : sessions téléphoniques avec un thérapeute, groupes de soutien, suivi du programme d'exercice et de nutrition, journal...

Les plus

✓ **Adaptation**

La perte de poids se fait selon un programme défini pour chacun.

✓ **Santé, bien-être**

Le programme nutritionnel associé au programme d'activité physique apporte rapidement un regain d'énergie. Les méthodes de thérapie visant à modifier les comportements évitent les frustrations que l'on peut voir apparaître avec un régime uniquement basé sur la restriction calorique. De plus, ces méthodes visent également une amélioration de l'image de soi, et des relations avec les autres dans une approche globale.

Menu type

Crudités, Poulet sauce moutarde, haricots verts, yaourt

En savoir plus

http://www.structurehouse.com
Gerard J. Musante, *The Structure House Weight Loss Plan: Achieve Your Ideal Weight Through a New Relationship With Food*, Fireside Books

Step Diet: bouger plus, manger moins

Caractéristiques :

- **Durée du régime :** à vie ;
- **Efficacité :** de 0,5 à 1 kg par semaine ;
- **Rapidité :** moyenne ;
- **Effet yoyo :** non ;
- **Choix d'aliments :** varié ;
- **Aliments privilégiés :** fruits les légumes les céréales complètes, laitages écrémés, viande maigre, et acides gras essentiels.
- **Aliments interdits :** aucun ;
- **Difficulté du régime :** facile ;
- **Diversité des recettes** : grande ;
- **Prix :** économique ;
- **Exercice physique :** conseillé ;
- **Public :** tout le monde.

Les origines

Mis au point par James O. Hill, (cofondateur du " National Weight Control Registry (NWCR), John C. Peters, Bonnie T. Jortberg, and Pamela Peeke, le régime « step diet » est un programme à suivre toute sa vie pour perdre du poids durablement. Le régime a pour but de réduire ses apports énergétiques tout en augmentant ses dépenses. Le régime souligne l'importance de l'activité physique dans le contrôle du poids.

Les principes

Bouger plus et manger un peu moins : tel est le principe simple, mais terriblement efficace de ce régime. On ne compte ni les calories, ni les graisses ni les glucides. Le régime ne prescrit pas de programme alimentaire rigoureux, mais de nouvelles habitudes à prendre en matière d'alimentation et d'exercice. Un programme composé de règles diététiques simples et de quelques astuces permet d'apprendre les principes de base pour réduire ses apports. Avec le régime Step Diet on peut manger ce que l'on souhaite, en supprimant environ 25 % de sa ration habituelle.

Pour perdre du poids de façon définitive et améliorer son état de santé, le régime conseille de faire simplement 10000 pas de marche par jour et supprimer un quart des ses rations alimentaires. L'activité physique doit être augmentée progressivement et peut être contrôlée grâce à l'utilisation d'un podomètre vendu avec le livre. Selon le chercheur Hill pas besoin de faire des marathons pour contrôler son poids. On commence avec une marche de 2000 pas (environ 15 minutes) pour éliminer les apports alimentaires, puis on augmente progressivement. On ajoute environ 500 pas par semaine pour atteindre 10000 pas par jour (environ 75 minutes) par jour. Plutôt que de faire une seule marche on peut comptabiliser les pas que l'on fait tout au long de la journée, et trouver d'autres façons d'ajouter des pas au cours de ses activités quotidiennes : monter les escaliers, laisser la voiture pour aller au travail ou au supermarché... Selon ses préférences, on peut pratiquer une autre activité physique comme le vélo, la natation.... Un tableau d'équivalence permet de calculer le temps d'activité correspondant aux nombres de pas souhaités.

Le régime préconise une alimentation saine comme les fruits, les légumes, les céréales complètes, laitages écrémés, viande maigre, et acides gras essentiels. Il n'y a pas d'aliments interdits. Si on craque sur un morceau de gâteau, il faudra compenser par un nombre de pas adapté, selon les indications.

Enfin, un journal alimentaire permet de prendre conscience de la nature et de la quantité de sa consommation.

Les plus

✓ *Une perte de poids durable*

Le régime n'est pas une solution temporaire, mais s'inscrit dans la durée. Il n'y a donc pas d'effet yoyo. La perte de poids est progressive (jusqu'à un kilo par semaine). En prenant conscience de sa consommation habituelle, on maîtrise mieux son alimentation. Des trucs et astuces permettent également d'être plus attentif à sa consommation et de maîtriser ses comportements compulsifs.

✓ *Simplicité*

La méthode est très facile d'accès, elle est simple et ne nécessite aucune connaissance particulière. Il suffit d'une paire de basket ! Aucun aliment n'est interdit. On n'a pas besoin de compter les calories. Le but est de manger à sa faim des aliments de qualité. Plus on marche et plus on peut manger. Il suffit de comprendre l'équilibre énergétique : quand les apports sont supérieurs aux dépenses, on prend du poids.

✓ **Motivation**

Le podomètre motive efficacement les personnes suivant le programme. Compter les pas est amusant et donne le sentiment de maîtriser son activité.

En savoir plus

James O. Hill Ph.D., John C. Peters Ph.D., Bonnie T. Jortberg M.S. R.D., Pamela M. Peeke M.D., *The Step Diet: Count Steps, Not Calories to Lose Weight and Keep It off Forever*, Workman Publishing Company.

EatingWell : un engagement à long terme

- **Durée du régime :** à vie ;
- **Efficacité :** 0,5 kilos par semaine ;
- **Rapidité :** moyenne ;
- **Effet yoyo :** non ;
- **Choix d'aliments :** varié ;
- **Aliments privilégiés :** fruits, légumes, céréales complètes, laitages écrémés, viande maigre, et acides gras essentiels ;
- **Aliments interdits :** produits raffinés ;
- **Difficulté du régime :** facile ;
- **Diversité des recettes** : grande ;
- **Prix :** économique ;
- **Exercice physique :** conseillé ;
- **Public :** tout public.
-

Les origines

Le docteur Jean Harvey-Berino est professeur chercheur et directeur du département de nutrition de l'université du Vermont. Il a développé le « VTrim Weight Management Program », un programme de gestion du poids basé sur les changements comportementaux, qu'il explique dans son ouvrage «The EatingWell Diet». Le livre est accompagné d'un programme de menus, d'un journal alimentaire et de nombreux outils tels que le tableau de calcul des calories.

Les principes

Selon le Dr Jean Harvey-Berino, pour maigrir il faut manger moins et faire davantage d'exercice.

✓ *Un engagement rigoureux*

Le régime EatingWell a pour but non seulement une alimentation saine et une perte de poids mais aussi la modification du mode de vie. Pas de promesses miraculeuses, mais des règles à suivre qui seront efficaces pour les personnes qui ont décidé de les mettre en œuvre. Le régime « Eating well » prône un engagement rigoureux dans la décision de perdre du poids.

✓ Un journal alimentaire

Pour cela, il faut surveiller attentivement ses apports en calories et ses dépenses énergétiques, car on a tendance à sous-estimer les uns et surestimer les autres. On s'autorise sans y penser quelques portions de sucre ou de graisse si l'on y prend garde. Tenir un journal alimentaire est le meilleur moyen de parvenir à maîtriser sa consommation alimentaire. Un moyen qui demande du temps et de la patience. Pour faciliter les choses, le régime Eating well propose des outils tels que la « Pyramid tracker » et donne quelques astuces pour faire face aux tentations. Même s'il n'est pas rédigé quotidiennement, le journal alimentaire aide à prendre conscience de ses limites.

✓ Développer ses connaissances

Le régime EatingWell Diet apporte des connaissances de base en matière de nutrition et donne de nombreuses astuces pour réussir à manger sainement. Respecter les portions, faire ses courses avec soin, connaître la valeur des aliments, rechercher et résoudre les déclencheurs des comportements alimentaires, cultiver des habitudes agréables d'exercice...

- Pratiquer une activité physique

Le régime recommande, chaque semaine, de brûler 1000 calories en pratiquant une activité physique telle que la marche, le jogging ou le vélo, soit environ 3 km par jour, 5 fois par semaine. Il faut pratiquer une activité physique aussi souvent que possible, en modifiant ses habitudes : prendre les escaliers plutôt que l'ascenseur, aller au travail à pied plutôt qu'en voiture...

✓ Un livre de recettes

L'ouvrage propose un grand nombre de menus avec indications caloriques. Plusieurs recettes correspondantes sont proposées allant des plus simples aux plus raffinées.

Les plus

✓ Facilité

Le régime, basé sur le bon sens, permet de perdre du poids simplement tout en améliorant sa santé, de façon simple, avec de nombreux conseils pratiques. La perte de poids est progressive (environ 10 kilos en 6 mois) et ne risque pas d'entraîner d'effet yoyo.

✓ Equilibre

Le régime repose sur une alimentation équilibrée et variée. Il n'y a pas de risque de carences.

Les moins

Les recettes les plus simples peuvent apparaître un peu fades aux fins gourmets.

En savoir plus

Dr. Jean Harvey-Berino, Ph.D., R.D., *The EatingWell Diet: 7 Steps to a Healthy, Trimmer You.*

Volumétrique : manger plus, en volume

- **Durée du régime :** 5 semaines puis à vie ;
- **Efficacité :** 3 à 5 kilos en trois semaines ;
- **Rapidité :** moyenne ;
- **Effet yoyo :** non ;
- **Choix d'aliments :** varié ;
- **Aliments privilégiés :** fruits, légumes, soupes, céréales complètes, lait écrémés, viande maigre, céréales, légumineuses, plats cuisinés faibles en graisse, salades ;
- **Aliments à surveiller :** viandes, fromages, plats cuisinés riches en graisse, vinaigrettes ;
- **Aliments à éviter :** snacks salés et sucrés, pâtisseries, viennoiseries, frites, hamburgers, quiches, chips, chocolat, sucreries, biscuits, noix, beurre, mayonnaise ;
- **Difficulté du régime :** facile ;
- **Diversité des recettes** : grande ;
- **Prix :** économique ;
- **Exercice physique :** - ;
- **Public :** tout le monde.

Les origines

Barbara Rolls, professeur à l'Université d'état de la Pennsylvanie, a mis au point un régime basé sur la densité énergétique des aliments. Elle explique les principes du régime dans son ouvrage *The Volumetrics Weight-Control Plan*. Selon elle, plus les aliments ont une densité énergétique faible, comme les fruits, les légumes, ou les soupes, plus ils procurent une sensation de satiété tout en étant peu caloriques.

Les principes

Le régime propose une alimentation à base d'aliments de grand volume, mais possédant une faible densité énergétique accompagnée d'un programme d'activités physiques de 30 à 60 minutes par jour. La composition des repas est équilibrée et fait appel à l'ensemble des groupes alimentaires. Barbara Rolls propose de se référer aux proportions indiquées dans la pyramide alimentaire américaine, soit environ 15 % de protéines environ, 30 % de lipides et 50 % de glucides. La densité énergétique se mesure par le nombre de calories par gramme. Une tasse 3/4 de raisins frais contient par exemple

110 calories et beaucoup d'eau. Cela équivaut à un quart de tasse de raisins secs. Autre exemple : une barre chocolatée contient 270 kcal et équivaut à 500 grammes d'ananas frais.

Il existe 4 niveaux de densité énergétique :

- Densité très faible : la plupart des légumes ou des fruits, le lait écrémé, les soupes. Ces aliments peuvent être consommés à volonté.
- Densité énergétique faible : céréales, viande maigre, légumineuses, plats cuisinés faibles en graisse, salades. Ces aliments peuvent être consommés en quantité relativement importante.
- Densité énergétique moyenne : viandes, fromages, plats cuisinés riches en graisse, vinaigrettes. Ces aliments doivent être consommés avec modération
- Densité énergétique élevée : chips, chocolat, sucreries, biscuits, noix, beurre, mayonnaise. Les quantités de ces aliments doivent être absolument contrôlées soigneusement.

Barbara Rolls conseille de commencer ses repas par des aliments à faible densité calorique comme une soupe ou une salade pour se sentir rassasié plus rapidement et donc limiter sa consommation.

✓ *Le régime comprend trois phases :*

- une phase intensive : d'une durée de trois semaines, elle vise une perte de poids rapide tout en mangeant à satiété et en respectant l'équilibre alimentaire. Seuls les aliments à faible densité énergétique sont autorisés, sans limite. Il faut veiller à s'hydrater toute la journée.
- une phase transitoire : d'une durée de 2 semaines, elle consiste à perdre du poids de manière plus lente pour préparer la stabilisation et éviter de fatiguer l'organisme. Deux repas sur trois sont composés uniquement d'aliments de faible densité énergétique. On pourra réintroduire les aliments à densité calorique moyenne au cours d'un repas.
- une phase stabilisante : sans limite de durée, l'objectif est de stabiliser le poids acquis. Il faut continuer à prendre un repas composé uniquement d'aliments à faible densité énergétique. Au cours des autres repas, on peut mélanger des aliments à faible ou moyenne densité énergétique. Les aliments à haute densité énergétique restent à éviter, surtout s'ils sont transformés (snacks salés et sucrés, pâtisseries, viennoiseries, frites, hamburgers, quiches…).

Les plus

✓ *Facilité*

Les recettes sont attrayantes. Pour composer son menu, il suffit de choisir en priorité les aliments à faible densité énergétique. Le régime peut être facilement suivi chez soi ou à l'extérieur.

✓ *Satiété*

On ne se sent pas affamé, car les aliments sont riches en fibres ou protéines, et apportent une sensation de satiété. On peut manger à sa faim, sans restriction.

Menus type

✓ *Phase 1*

Petit déjeuner : thé ou café, fromage blanc, fruits.

Déjeuner : soupe de légumes poissons maigres, légumes vapeur, laitages maigres.

Dîner : crudités sauce allégée, viandes, légumes vapeur, fruits.

✓ *Phase 2 :*

Ma journée type

Petit déjeuner : thé ou café, fruits, jambon, yaourts.

Déjeuner : crudités, viandes légumes, féculents, fruit.

Dîner : soupe de légumes, poissons, légumes, laitages maigres.

✓ *Phase 3*

Ma journée type

Petit Déjeuner : thé ou café, fruits, jambon, fromage blanc, céréales.

Déjeuner : crudités, viandes légumes, féculents, dessert.

Dîner : crudités, viandes ou poissons maigres, légumes, fruits, laitages maigres.

En savoir plus

Martin Kunz, *Maigrir sans se priver avec le régime volumétrique*, Editions Vigot.

Flavor Point Diet : limiter les saveurs

- **Durée du régime :** 6 semaines ;
- **Efficacité :** 3 à 5 kilos ;
- **Rapidité :** oui ;
- **Effet yoyo :** moyen ;
- **Choix d'aliments :** faible ;
- **Aliments privilégiés :** protéines maigres, céréales complètes, fruits et des légumes ;
- **Difficulté du régime :** moyenne ;
- **Diversité des recettes :** faible ;
- **Prix :** économique ;
- **Public :** adultes.

Les origines

David L. Katz, professeur de santé publique à l'Université de Yale, a étudié le lien entre la satiété et la gamme de saveurs spécifiques. Les recherches médicales et comportementales tendent à prouver que plus les saveurs proposées sont limitées, plus on se sent rassasié, et inversement, la multiplication des saveurs stimulant de manière exagérée les centres de l'appétit, situés dans le cerveau. Dans son ouvrage, *The flavor point diet*, il met au point un régime qui tient compte de ce phénomène.

Les principes

Selon les types de saveurs, les centres de l'appétit sont sur stimulés, notamment avec les saveurs sucrées et salées. Le centre de l'appétit, une fois activé, demande de la nourriture jusqu'à satiété. En activant plusieurs centres on doit atteindre tous les niveaux de satiété, appelés *flavor point*. Ce qui nous conduit à manger plus que nécessaire.

Le régime *flavor point diet* propose de limiter les types de saveurs. De cette façon, on peut atteindre un sentiment de satiété sans avoir besoin de beaucoup de calories.

✓ *Le régime se décompose en trois phases*

Phase 1 : pendant 4 semaines, les repas ne possèdent qu'une seule saveur (par exemple, l'ananas, les épinards, le citron, ou la menthe) tout au long de la journée.

Phase 2 : pendant 2 semaines, chaque repas ou collation a sa propre saveur. Plusieurs saveurs sont autorisées dans la même journée, afin de ne pas ressentir trop de monotonie.

Phase 3 : on gère les saveurs soi-même selon ses besoins.

Les plus

✓ *Satiété*

On perd donc du poids en mangeant moins, sans aucune sensation de faim.

Les moins

✓ *Difficulté*

Le régime est bien sûr très monotone.

En savoir plus

Catherine S. Katz Ph.D., David L. Katz M.D., *The Flavor Point Diet*, Edition Rodale Pr.

Best Life : un coach pour maigrir

- **Durée du régime :** 4 à 6 semaines puis à vie ;
- **Efficacité :** variable ;
- **Rapidité :** moyen ;
- **Effet yoyo :** faible ;
- **Choix d'aliments :** important ;
- **Aliments privilégiés :** protéines maigres, céréales complètes, fruits et légumes, produits laitiers écrémés ;
- **Aliments interdits :** aliments raffinés (pain blanc…), la friture, les boissons gazeuses, produits laitiers entiers, sucre, chips ;
- **Aliments à surveiller :** féculents, viandes, sauces de salades ;
- **Difficulté du régime :** facile ;
- **Diversité des recettes** : élevée ;
- **Prix :** économique ;
- **Exercice physique :** trois fois par jour ;
- **Public :** adultes.

Les origines

Le régime Best Life a été élaboré par l'entraîneur Bob Greene, coach et expert en nutrition. Face aux changements de nos modes de vie, il propose des objectifs adaptés et réalistes à travers un choix d'aliments sains, des menus et des recettes attrayants. Le régime ne vise pas une perte de poids rapide, mais une hygiène de vie saine et équilibrée pour une « vie meilleure ». Oprah Winfrey, animatrice célèbre aux Etats-Unis, lutte depuis 20 ans contre le surpoids devant des millions de téléspectateurs. Elle s'est associée avec son entraîneur personnel, Bob Greene, afin de conserver sa très grande perte de poids et a inspiré des milliers de personnes à perdre, comme elle, leur surpoids.

Les principes

Lorsqu'on a comme objectif la santé, la lutte contre le surpoids devient facile. Il suffit de décider de changer ses habitudes de vie. Chacun peut suivre le programme à son rythme pour s'adapter en souplesse à ces changements, et obtenir des résultats à long terme. Pas besoin de calculer les calories, mais il faut choisir des aliments sains et tenter de se limiter à des quantités raisonnables. Par contre, certains aliments sont interdits comme les aliments raffinés (pain blanc, riz blanc…), la friture, les boissons gazeuses, les produits laitiers entiers. Il faut absolument prendre trois repas par jour, même si l'on veut maigrir vite. Enfin, il faut apprendre à différencier la faim réelle et la faim liée aux émotions.

La pratique d'une activité physique est indispensable à raison de 30 minutes par jour. Les activités conseillées sont le jogging, la méthode Pilates ou la marche rapide, car elles peuvent se pratiquer facilement, sans contrainte. Le site payant Bestlife propose un programme d'exercice détaillé avec exercices de cardio et musculation.

Trois phases permettent de préparer son corps à la perte de poids.

✓ *Phase 1 : De nouvelles habitudes alimentaires (4 semaines)*

Augmenter son niveau d'activité et restructurer sa manière de manger (trois fois par jour) aidera à réveiller son organisme en douceur et augmentera le nombre de calories brûlées. Eliminer l'alcool. Ne pas manger deux heures avant d'aller au lit

✓ *Phase 2 : Perte de poids (jusqu'à ce qu'on ait moins de 9 kilos à perdre)*

Il faut se peser une fois par semaine, augmenter son activité physique, supprimer les mauvaises graisses, remplacer les produits céréaliers raffinés par des céréales complètes, et les produits riches en graisses.

✓ *Phase 3 : A suivre à vie*

Maintenir les changements précédents, manger beaucoup de légumes et fruits, se peser au moins une fois par mois.

✓ *Quelques conseils :*

1 Manger seulement lorsqu'on a faim et se servir des portions raisonnables Limiter les apports en féculents, les viandes, les sauces de salades le sucre, les chips. On peut compter les calories pour éviter de faire de trop gros repas.

2. Attendre 20 minutes après avoir mangé pour savoir si l'on a encore faim. C'est le temps que met le cerveau à enregistrer la satiété.

3. Prendre une légère collation uniquement si on a vraiment faim

Les plus

✓ *Site web*

Le site web est un bon soutien qui accompagne de manière individuelle le programme. Il est très complet avec des menus hebdomadaires, des recettes et des entraînements.

✓ *Equilibre*

Le régime est équilibré et complet, car il comprend un programme alimentaire et physique. Il favorise un mode de vie sain pour une perte de poids durable et une bonne santé. Le régime n'est pas strict, mais se concentre sur de bonnes habitudes alimentaires et apprend à différencier la faim réelle ou émotionnelle.

Menu type

Petit Déjeuner : céréales complètes, framboises, amandes et lait écrémé.

Collation : lait de soja, jus d'orange.

Déjeuner : sandwich au poulet, banane.

Goûter : 2 tranches de pain complet.

Dîner : poulet fromage et légumes, banane.

En savoir plus

Site web (payant) : www.thebestlife.com

Livres : Bob Greene, *"The Best Life Diet", "The Best Life Diet Cookbook", "The BestLife Diet Daily Journal", "The Best Life Diet", "Total Body Makeover : An Excelerated Program of Exercise and Nutrition for Maximum Results in Minimum Time", "Get With the Program! Getting Real About Your Weight, Health, and Emotional Well-Being"*, éditions Simon & Schuster.

Les autres régimes

Le régime CSIRO

Le régime CSIRO a été conçu par des chercheurs du CSIRO, l'équivalent en Australie du CNRS. Le régime fait la part belle à la viande qui compose jusqu'à 35 % des apports alimentaires journaliers. Les protéines permettent en effet de perdre rapidement du poids. Les féculents sont quasiment bannis et les graisses sont limitées. Les menus indiqués sont à suivre scrupuleusement. Comme avec les régimes hyperprotéinés, la perte de poids est importante et rapide, mais on reprend vite les kilos perdus si l'on n'y prend garde. Le régime peut également entraîner des carences et des risques cardiovasculaires plus élevés. Il est préférable de suivre ce régime sur une courte période.

En savoir plus : Peter Clifton et Manny Noakes, *The CSIRO total wellbeing diet,* Penguin Australia.

Le régime « La solution »

La diététiste Laurel Mellin s'attache à reconnaître les causes des excès alimentaires, dans son programme intitulé « la Solution ». De nombreux aspects émotionnels et comportementaux entrent en jeu dans la suralimentation. Parmi les autres raisons du surpoids, Laurel Mellin souligne les déséquilibres alimentaires, un niveau d'énergie insuffisant, la honte de son corps, le manque de limites et le manque de capacités à prendre soin de soi. L'alimentation est équilibré et comprend céréales complètes, protéines maigres, produits laitiers allégés, fruits, légumes.

En savoir plus : Laurel Mellin, *The Solution: For Safe, Healthy, and Permanent Weight Loss*, édition Collins Living - Site web : www.solutionmethod.org

Le régime "You On a Diet"

Les docteurs Mehmet Oz et Michael Roizen ont mis au point une approche ludique et simple de la perte de poids. Leur méthode est basée sur une réduction des calories de l'ordre de 500 calories environ par jour. Plusieurs exercices sont proposés et permettent de pratiquer une activité d'environ 30 minutes par jour, chez soi. Selon les docteurs Mehmet Oz et Michael Roizen, ce qui compte ce n'est pas le poids mais le tour de taille. Il y a un lien entre les hormones et les réactions chimiques, qui influencent la sensation de satiété. L'organisme a une capacité de régulation naturelle de la faim. Les auteurs donnent une liste d'aliments et de suppléments qui combattent la graisse, diminuent l'appétit et combattent l'inflammation, qui cause de nombreuses maladies. *En savoir plus* : Drs Mehmet Oz et Michael Roizen, *You On a Diet, édition The Free Press.*

Le régime Spectre du Dr. Dean Ornish

Le régime a pour but de lutter contre les maladies cardiaques. Il a été élaboré par le Dr. Dean Ornish, professeur de médecine clinique à l'Université de Californie à San Francisco. La méthode a connu un grand succès au début des années 1990, puis a été quelque peu délaissée en raison de sa difficulté d'application. Son nouveau programme, « le spectre », est une version moins rigoureuse basée sur 4 principes essentiels : l'alimentation (un régime végétarien faible en graisse), l'activité physique (accompagné de méditation et de yoga), la gestion du stress et des relations personnelles. Une approche holistique qui inclut la méditation (un DVD accompagne le livre) et qui permet avant tout de modifier son mode de vie pour combattre les maladies qui lui sont liées. Ce programme est un des seuls à recevoir l'approbation de Medicare, le système d'assurance de santé pour les personnes âgées, géré par le gouvernement américain. Un des avantages de la méthode est de pouvoir manger autant qu'on le souhaite des aliments sains comme les haricots, les céréales, les légumineuses et les légumes. *En savoir plus :* Dr. Dean Ornish, *Le spectre,* site internet : www.pmri.org/spectrum

Le régime starter

Le régime starter s'inspire de la chrono-nutrition. Les apports alimentaires sont déterminés selon les besoins de l'organisme en fonction de son horloge biologique. Ainsi, les aliments riches en graisses et en sucres doivent impérativement être consommés avant 17h, tandis que l'on se limitera aux légumes verts et au poisson sans ajout de matières grasses après 17h. L'auteur recommande de boire beaucoup d'eau et de limiter la perte de poids à 8 kg en 4 semaines pour ne pas fatiguer l'organisme en l'obligeant à puiser dans ses réserves profondes. Mis à part l'interdiction des certains aliments après 17h, le régime offre une grande liberté dans le choix des aliments et la composition des menus. *En savoir plus :* Dr Alain Delabos, *Le régime Starter,* édition Albin Michel.

Le régime Fat Smash

Un régime assez facile à suivre, mis au point par le Dr. Smith, et basé sur une modification du mode de vie et de l'alimentation. L'émission de télévision « Celebrity Fit Club » a mis en pratique cette méthode suivie par certaines célébrités. C'est un régime équilibré qui se compose d'aliments à haute valeur nutritive. Les exercices physiques sont indispensables à suivre. Ce plan est assez facile si l'on a la motivation de changer son alimentation à long terme et d'intégrer des exercices physiques à son mode de vie. La perte de poids est progressive et se déroule sur environ huit semaines. La dernière phase a pour but de stabiliser la perte de poids.

En savoir plus : Ian K. Smith, *The Fat Smash Diet: The Last Diet You'll ever need*, edition St. Martin's Griffin, site internet : www.fatsmashdiet.com

Le régime DASH

Le régime DASH (Dietary Approaches to Stop Hypertension) est destiné à lutter contre l'hypertension qui augmente les risques de maladies cardiovasculaires. En 1997, le rapport DASH démontrait le rôle primordial du régime alimentaire dans la prévention de ces maladies. Le régime est basé sur une alimentation faible en sel, en graisses saturées et en cholestérol, et riche en fruits, en légumes, et produits laitiers maigres. En outre, les aliments préconisés contiennent beaucoup de fibres, de magnésium, de potassium et de calcium. Le régime DASH permet également de perdre du poids. Il est recommandé par The National Institutes of Health, et The American Heart Association.

En savoir plus : Frank Mangano, *The Blood Pressure Miracle,* édition Mangano Publishing Corporation.

Le régime du Dr Stillman

Dr Irwin Maxwell Stillman a traité des patients souffrant de surpoids pendant plus de quarante ans et a développé sa propre méthode issue des nombreuses techniques d'amaigrissement qu'il a utilisées. Le régime est un régime hypocalorique hyperprotéiné d'une durée de 14 jours. Le nombre de glucides est limité pour que l'organisme puisse puiser dans ses graisses de réserves. Ce régime est à déconseiller en raison des risques de surcharge des reins et de maladies cardiovasculaires.

En savoir plus : Dr Irwin Maxwell Stillman, *Le régime perte de poids rapide du Dr Stillman.*

Le régime forking

Le principe de ce régime, mis au point par Ivan Graviloff, est de n'utiliser que la fourchette (« fork ») pour s'alimenter. Les légumes, les féculents, et les fruits rouges sont autorisés. On évite également les aliments riches en graisse (comme les frites, la mayonnaise…), tout ce qui se mange avec les doigts comme les cacahuètes, les sandwichs, et même les fruits, et enfin tout ce qui se mange avec une cuillère ou un couteau (soupe, yaourt, glace, saucisson, viande, fromage…). Restent les légumes, les féculents et les fruits rouges. Le régime, inventé par un expert en innovation, est pour le moins original et amusant.

En savoir plus : Ivan Graviloff et Sophie Troff, *Dîner avec une fourchette : le nouveau régime minceur,* édition Albin Michel, 15 €.

Le régime Dukan

Ce régime sur mesure, mis au point par le médecin nutritionniste Pierre Dukan, a pour but de maigrir durablement. L'idée est de composer un programme alimentaire adapté au caractère et à l'histoire de chacun. Un questionnaire détaillé permet de réaliser une analyse de son profil et d'adapter un régime sur mesure développé dans un ouvrage personnalisé intitulé « Le livre de mon poids ». La phase d'attaque est composée de protéines pour déclencher facilement la perte de poids, puis les légumes sont intégrés dans une deuxième phase avant de revenir à une alimentation normale et une longue phase de stabilisation. Le régime est contraignant et difficile dans sa première phase, mais il est efficace et laisse une grande liberté dans les quantités, les horaires et dans la composition des repas.

En savoir plus : Docteur Pierre Dukan, *Je ne sais pas maigrir,* édition J'ai lu, « Le livre de mon poids», site internet : www.livredemonpoids.com

Régime plantes

Le Dr Laurent Chevallier, médecin nutritionniste et botaniste, propose de faire le plein de légumes et herbes aromatiques pour maigrir savoureusement et durablement. Les repas sont agrémentés d'herbes fraîches, riches en vitamines et minéraux : menthe, origan, sarriette, sauge, estragon, ciboulette, persil… Les sucreries, les matières grasses et les viandes doivent être évitées. Les laitages nature à 20 % de matières grasses sont autorisés. Les modes de cuisson doux comme la vapeur, le grill, les papillotes ou le wok sont conseillés pour préserver également saveurs et vitamines. Pour accompagner son régime, on doit boire un litre de tisane par jour (froide ou chaude) sans ajouter de sucre. Les plantes peuvent être choisies pour leurs propriétés drainantes ou décongestionnantes. Un régime doux et savoureux qui permet de ne pas brusquer l'organisme et de maigrir sur le long terme, sans frustration et sans carence alimentaire.

En savoir plus : Dr Laurent Chevallier, *Vive les plantes,* édition Fayard.

Le régime Hallelujah Acres

Le Dr Révérend George Malkmus a fondé Hallelujah Acres après avoir guéri d'un cancer suite à l'adoption d'une alimentation saine. Selon lui, de nombreuses maladies parmi lesquelles le cancer, les maladies cardiovasculaires, le diabète, ou l'arthrite sont dues à notre mode de vie. Son régime se base sur une alimentation végétarienne composée principalement de fruits et légumes crûs et bannit la viande, les œufs, le sucre, le sel, les produits laitiers, les aliments traités et raffinés. Cette alimentation confirme, selon le révérend George Malkmus, la sagesse de la diète originale inculquée dans la Génèse de la bible. Les livres, les cassettes, les vidéos, et les séminaires de la méthode Hallelujah Acres ont un beau succès aux Etats-Unis et au Canada.

En savoir plus : George Malkmus, *Why Christians get sick, God's way to Ultimate Health, The Hallelujah diet,* Destiny Imag.

Le régime fibres

Le régime fibres préconise d'augmenter les quantités de fibres alimentaires en consommant des légumes, fruits, céréales complètes, et légumes secs et en réduisant les sucres et les graisses. On peut enrichir soi même ses aliments en ajoutant du son ou des fruits secs pour atteindre une consommation journalière de 30 à 35 grammes de fibres. Grâce aux fibres, une partie des aliments n'est pas assimilée, ce qui permet de perdre du poids. De plus leur effet rassasiant évite de manger en trop grande quantité. Attention malgré tout à ne pas irriter les intestins. Il est préférable d'augmenter cette ration progressivement pour éviter ballonnements ou douleurs.

En savoir plus : Audrey Eyton, *Le régime f comme fibres»,* édition Marabout.

Le régime de la lune

Le régime lunaire repose sur le principe selon lequel le corps est composé de 70 % d'eau et que la lune influe sur l'élément liquide, agissant sur les hommes comme elle le fait sur les plantes ou les marées. Pour maigrir, il faut suivre un jeûne pendant le commencement d'une phase lunaire et sur une période de 24 heures. Seules les boissons (eau, infusions, jus de fruits, bouillon de légumes, thé) sont autorisées. Cette phase de la lune doit permettre à l'organisme d'absorber plus facilement l'eau. Ce régime n'a pas de fondement scientifique permettant de confirmer le rôle de la lune dans la perte de poids. Le jeûne est toujours suivi d'une reprise de poids. Néanmoins, il permet de purifier l'organisme.

Le régime des couleurs

Le régime des couleurs propose d'utiliser la chromothérapie pour maigrir. Selon cette technique, les couleurs influencent l'organisme physique et psychique. On choisit les aliments en fonction de leur couleur et on utilise l'énergie qui leur est associée (une couleur pour se relaxer, une autre pour affronter un défi…). On peut également choisir les aliments en fonction de la couleur associée au jour de la semaine : lundi blanc, mardi rouge, mercredi vert, jeudi violet, vendredi bleu ciel, samedi noir et marron, dimanche jaune et orange. Enfin, d'autres régimes influencés par la chromothérapie, propose une couleur par semaine. Ce régime ne possède pas de fondement scientifique, mais repose sur des croyances. En limitant le choix possible des aliments, on peut effectivement observer une perte de poids.

En savoir plus : Susanne Brue, *The 8 colors of fitness.*

Les médicaments

Alli, la pilule anti-obésité

Le 6 mai 2009 est un jour qui a fait date pour tous ceux qui veulent perdre quelques kilos. En effet, c'est une petite révolution qui est en marche puisque c'est le jour où a été commercialisée la pilule Alli. Alli est un programme de perte de poids ; il se compose d'une pilule visant à faire perdre du poids et d'un mode d'emploi. Mais, ce qui distingue Alli des autres procédés c'est que cette pilule est le premier médicament dans la catégorie des pilules anti-obésité vendues en masse approuvé par la FDA1[1]. C'est le premier médicament amaigrissant à être autorisé à la vente en Europe – par la Commission Européenne – sans aucune prescription médicale.

A peine l'annonce de sa sortie faite que déjà cette pilule a fait parler d'elle.

Principes généraux

La pilule Alli est un médicament destiné au traitement de l'obésité. Elle est commercialisée par le laboratoire GlaxoSmithKline. Sa fonction première est d'empêcher l'absorption des graisses dans l'alimentation des hommes et femmes, et de ce fait, déclenche un mécanisme qui va réduire automatiquement l'apport en calories.

La pilule Alli2[2] va être commercialisée librement, en pharmacie, dès le 6 mai 2009. Cette pilule est réalisée à base d'orlistat, substance qui est un inhibiteur des lipases pancréatiques. Ce médicament est destiné à limiter l'absorption des triglycérides, donc des lipides par l'organisme.

La Pilule Alli est en vente libre cependant, l'Agence française de Sécurité sanitaire des produits de santé (AFSSAPS) informe que la pilule commercialisée sans ordonnance aura une posologie inférieure à celle du produit qui est prescrit par le médecin ; elle sera dosée à 60 mg par comprimé au lieu de 120 mg, sur prescription médicale.

Il est important de savoir que toute personne qui prendrait la pilule Alli sans avoir consulté son médecin doit limiter sa consommation en graisses au cours d'un repas. Si cela n'était pas respecté, il pourrait y avoir des effets secondaires (problèmes digestifs, flatulences…). En effet, il ne faut pas

---

1[1] La FDA (Food and Drug Administration) est l'administration américaine des denrées alimentaires et des médicaments. Cet organisme a, entre autres, le mandat d'autoriser la commercialisation des médicaments sur le territoire des États-Unis d'Amérique.

2[2] Composition de la pilule Alli

Ingrédients actifs : Orlistat (60 mg) (Weight Loss Aid).

Ingrédients inactifs : FD&C Blue 2, Edible Ink, Gelatin, Iron Oxide, Microcrystalline Cellulose, Povidone, Sodium Lauryl Sulfate, Sodium Starch Glycolate, Talc, Titanium Dioxide

croire qu'en utilisant cette pilule on peut manger encore plus et maigrir en même temps. Il est préconisé d'adopter une alimentation équilibrée, tout en utilisant Alli. La pilule Alli3[3] doit être prise avant, pendant ou jusqu'à une heure après chacun des principaux repas afin de bloquer les graisses absorbées par l'organisme. Plus de 30 % des graisses sont éliminées dans les selles sans passer au travers de la paroi digestive et donc sans être assimilables par l'organisme.

Comment fonctionne la pilule Alli ?

Les aliments peuvent être composés de trois éléments nutritifs : les protéines, les glucides et les lipides (graisses). Ces substances ont toutes de l'énergie, une énergie également appelée calories. Chaque aliment possède des éléments nutritifs différents. Une pomme contient davantage d'hydrates de carbone (du sucre), alors qu'un avocat est composé surtout de matières grasses. Lorsque l'on digère ces substances, le corps les place là où elles doivent aller ou les stocke pour une utilisation ultérieure. Si on ingurgite trop de calories, le corps gagne du poids, en emmagasinant ces nutriments. Orlistat, le principe actif de la pilule Alli, agit chaque fois que l'on mange des matières grasses. Quand la graisse pénètre dans le système digestif, Orlistat s'attache automatiquement à une partie de cette matière grasse et empêche cette graisse d'être décomposée par les enzymes naturelles de l'organisme. Comme cette graisse ne peut pas flotter éternellement dans le corps, celui-ci l'a fait passer à travers le système digestif, dans l'intestin et, éventuellement, à travers les intestins.

En résumé, la pilule Alli transforme une partie de l'apport de matières grasses en une source de « fibres ». Sa substance active se mêle aux graisses et les pousse à travers notre système digestif comme s'il s'agissait d'aliments qui contiennent des fibres (céréales, fruits, légumes…). Cela signifie également que l'énergie (les calories) ne compte pas, de telle sorte que les matières grasses que l'on ingère ne soient pas absorbées.

En théorie, Alli est une pilule miracle pour tous ceux qui veulent perdre du poids ; cependant, il peut y avoir des contre indications, des effets indésirables et la prise de la pilule doit être respectée, encadrée et accompagnée.

Les limites du procédé Alli

Il faut savoir que la prise de la pilule Alli à elle seule ne pourra rien faire pour la graisse qui est déjà emmagasinée. Cela signifie que, pour maigrir, il faut toujours faire un régime hypocalorique et faire des exercices physiques en accompagnement. C'est ce que le programme complet Alli propose : un

---

3[3] Posologie : Un comprimé avec chaque repas. Ne pas prendre plus de 3 comprimés par jour. Bien suivre le guide minceur fourni.

programme d'alimentation couplé à la prise de la pilule engendrera la perte de graisse. Ce programme d'alimentation n'est pas bien différent des programmes des autres régimes qui existent actuellement. Consommer peu de calories et, dans ce cas, consommer des aliments à faible teneur en gras restent les principales habitudes à acquérir pour perdre du poids. Les recommandations d' Alli vont de 1 200 à 2 000 calories par jour en fonction du sexe et de l'activité des patients.

L'essentiel repose sur la consommation de matières grasses. Chaque personne dispose d'une certaine quantité de graisse à prendre à certains points et à certains moments. S'il faut éviter de consommer des graisses, il n'est pourtant pas déconseillé de consommer d'autres aliments caloriques (mais pauvres en matières grasses). Si, en même temps que le traitement, le patient consomme trop de matières grasses, il faudra qu'il s'attende à subir quelques effets indésirables.

Les effets du traitement

Les effets du traitement les plus populaires – dont tout le monde a déjà entendu parler avec ce genre de médicament – concernent les problèmes de selles.

La raison est simple : le corps ne peut pas décomposer et digérer les graisses avec Alli donc, il va mettre cette graisse sur une voie rapide pour purger. Comme les matières grasses sont de l'huile, quand elles arrivent à la dernière étape, elles se trouvent toujours dans une forme liquide. Elles deviennent alors un excellent lubrifiant pour le déplacement des selles qui sont déjà stockées dans le corps. Cela pourrait conduire à des fuites, des flatulences humides, de la diarrhée et une subite envie d'aller à la selle, sans pouvoir contrôler en retenant.

En d'autres mots, plus la personne consomme de matières grasses dans son régime alimentaire, plus elle augmente la possibilité d'effets indésirables décrits précédemment. Cela fait partie de la modification « comportementale » liée à la prise de la pilule Alli. Ces effets sont des garde-fous, ils avertissement le patient qu'il a consommé trop de matières grasses !

Du côté des études scientifiques

Les scientifiques bénéficient d'assez de recul sur les résultats et effets de l'Orlistat, la substance active de la pilule Alli. En effet, cette substance est prescrite depuis des années sur ordonnance pour sa capacité à traiter l'obésité (sous le nom commercial de Xenical).

D'après ces études, l'utilisation d'Orlistat pourrait provoquer une augmentation significative de l'incidence des foyers de cryptes (ACF, aberrant crypt foci). Ces foyers sont largement considérés comme précurseurs du cancer du côlon. C'est ce qu'a constaté l'Institut National du Cancer américain (National Cancer Institute, NCI) qui a mené cette étude et qui a établi un lien entre les foyers de cryptes aberrantes et le cancer du côlon.

Un autre problème inquiétant qui pourrait exister est le risque de cancer du sein. Dans sept essais cliniques aléatoires et contrôlés, il y a eu 10 cas de cancer du sein dans les groupes traités par Orlistat alors qu'il n'y a qu'un seul cas de cancer du sein des autres groupes. Le risque relatif qu'un cancer du sein se déclare pendant la durée de prise d'Orlistat (par rapport au placebo) a été calculé à plusieurs reprises par la FDA. Le risque varie entre 4 à 7 fois plus (4 à 7 fois plus de risque d'attraper un cancer du sein pendant la durée de prise d'Orlistat que sans), selon l'analyse.

La prise de la pilule peut aussi avoir des incidences sur les cheveux, la croissance des ongles, le processus de vieillissement de la peau et la fabrication du bon cholestérol. Effectivement, quand on bloque l'absorption de la graisse dans le corps, on bloque aussi les précieux nutriments que peut fournir la graisse. Nombre d'études montrent combien les matières grasses peuvent être précieuses et importantes pour le bon fonctionnement de base de l'organisme. Or, comme dans le programme Alli, la consommation de matières grasses n'est faite qu'à une très faible quantité et, de surcroît, une partie de ces matières grasses va être bloquée ; le pourcentage de graisse provenant de l'alimentation (sur une journée) va tellement baisser qu'il ne pourra plus fournir le meilleur aux fonctions de base de l'organisme. Les effets négatifs de cette baisse peuvent être perceptibles sur les cheveux, la peau et la fabrication du bon cholestérol.

L'utilisation de la pilule Alli reste donc controversée par le corps médical. Les années à venir devraient déterminer avec exactitude les risques éventuels de la prise de ce médicament. Il y a des possibilités pour que les études de l'Institut National du Cancer américain soient confirmées par les témoignages de personnes ayant pris des pilules Alli.

Il faut garder à l'esprit que l'utilisation d'Alli ne remplacera jamais l'adoption d'un bon comportement alimentaire (pendant et après le traitement).

Coût : Kit Alli en pharmacie à partir de 59 euros (90 capsules).

Recommandations et contre indications

Alli est réservé aux adultes de plus de 18 ans. La pilule ne doit pas être prise par les personnes allergiques à l'Orlistat, souffrant de troubles du foie, de la vésicule biliaire, des calculs aux reins ou d'un syndrome de malabsorption chronique (défaut d'absorption des aliments dans le tube digestif),

Il faut signaler à votre médecin si vous présentez une insuffisance hépatique ou rénale, ou si vous êtes sous traitement médical.

Alli est déconseillé en cas de grossesse ou d'allaitement.

Le traitement par Alli peut potentiellement modifier l'absorption des vitamines liposolubles (A, D, E, K). Pour la très grande majorité des patients traités par Alli, jusqu'à deux ans au cours des essais cliniques, les concentrations sanguines des vitamines A, D, E et K et du bêta-carotène sont restées dans les limites de la normale. Pour respecter l'équilibre nutritionnel, les personnes suivant un régime et sous traitement d'Alli, devraient opter pour une alimentation riche en fruits et légumes et un complément vitaminique.

Les médicaments sous ordonnance : DANGER !

Suite à l'hospitalisation de plusieurs personnes ayant pris une poudre d'extraits thyroïdiens, une enquête approfondie a été réclamée par la direction générale de la santé sur l'ensemble des solutions amaigrissantes. Ces affaires soulignent bien la dangerosité des préparations pour maigrir et des risques liés aux associations médicamenteuses. Les préparations magistrales à base de psychotropes, coupe-faim, diurétiques et hormones thyroïdiennes ont été interdites par la loi Talon de 1980. De nombreux médicaments dits de phytohérapie ont également été retiré du marché en raison du risque d'hépatite médicamenteuse : Exolise, Rimonaban Pilosuryl, Urosiphon. De même des médicaments coupe faim ont été retirés en raison de risque d'hypertension artérielle pulmonaire à la suite de laquelle nombre de décès ont été recensés (Soméride, Pondéral, Dinintel, Fenproporex, Incital et Moderatan). La maladie pourrait même se déclarer des années après la prise de ces médicaments. Le Rimonaban a été retiré en 2008 en raison de ses effets secondaires (dépression, idées suicidaires...). Quels que soit les moyens utilisés, tout amaigrissement trop rapide peut être dangereux.

Les hormones thyroïdiennes

Les hormones thyroïdiennes ont été retirées du marché avec la réglementation européenne. Elles entraient dans la composition de gélules minceur « miracle » très répandue il y a environ trente ans, mélangées parfois à des diurétiques et des calmants. Ces médicaments agissent sur le système nerveux créant, comme une drogue, une dépendance. De plus, les effets secondaires sont nombreux : hypertension pulmonaire, dérèglement de la glande thyroïde, troubles psychologiques, problèmes cardiaques... Par leur action de courte durée, les hormones vont entraîner une perte de muscle plus qu'une perte de graisse. Xenical est un des seuls médicaments à être commercialisé, pour l'obésité, sous haute surveillance.

La sibutramine

Le Sibutral est comparable au Xenical. A base d'amphétamines, le traitement est un antidépresseur prescrit pour lutter contre l'obésité. Des études, publiées dans « The Lancet » confirment l'efficacité du médicament sur la perte de poids parallèlement à une stabilisation du taux d'insuline, triglycérides, cholestérol et acide urique. Les effets sur le long terme de ce produit restent inconnus.

Le Réductil

Ce médicament est réservé aux personnes ayant un IMC supérieur à 30. Il possède des propriétés coupe faim et brûle graisse. Il entraîne aussi une augmentation de la tension artérielle.

Le Redasan

À ses débuts, cette pilule a fait couler de l'encre dans les magazines car, disait-on, ce coupe faim allait révolutionner le secteur des produits minceur. Sans éphédrine, elle serait naturelle et aucunement néfaste pour l'organisme même avec une utilisation sur le long terme.

Avec l'utilisation de la pilule minceur Redasan, les personnes mangent moins (la pilule agit comme les autres pilules coupe faim). Mais cela ne suffit pas, car il faut consommer à côté de bons aliments, bons pour la santé. Si l'utilisateur choisit des produits trop riches, alors il pourra souffrir de mal nutrition et affaiblira son organisme.

De plus, comme le corps manquera de nourriture pour produire l'énergie dont il a besoin, un mécanisme de défense s'enclenchera et il se mettra à emmagasiner les graisses si la personne ingurgite trop de lipides.

La pilule minceur Redasan est donc à prendre avec précaution et il ne faut pas en faire un usage à long terme. Il est préférable de l'utiliser afin d'amorcer un régime minceur durant la première semaine pour s'habituer à manger un peu moins, mais toujours en gardant à l'esprit qu'il faut avoir une alimentation équilibrée. Coût : 27,30 euros, 80 pilules minceur Redasan.

L'éphédrine

Il y a de cela quelques années, la plupart des pilules minceur étaient fabriquées à partir d'éphédrine, mais ce produit a déclenché une controverse et il est devenu illégal aux États-Unis. Quelques années plus tard, sa vente s'est légalisée de nouveau et des produits contenant de l'éphédrine ont refait leur apparition dans les supermarchés et sur les sites en ligne.

Le principal effet de cette substance est de couper la faim ; cependant, d'après des études, des personnes qui en ont fait usage sur le long terme ont développé des problèmes de santé importants. L'éphédrine, outre son effet coupe faim, à un effet hyper existant qui peut retarder le sommeil.

Compléments alimentaires

Les compléments alimentaires sont un bon coup de pouce au régime. Ils peuvent favoriser l'élimination des graisses, pallier les carences de certains types de régime ou apporter un bon soutien psychologique. On les trouve en pharmacie ou sur internet, en vente libre. Diurétique, coupe-faim ou brûle-graisse… C'est un marché florissant pour les vendeurs. Reste à savoir, pour le consommateur, si les résultats sont à la hauteur de leurs promesses et de quelle manière ils agissent. Comment choisir le bon produit adapté à ses besoins, ses habitudes ou sa physionomie ? Les propriétés de ces compléments alimentaires minceur sont en général de trois ordres : brûle-graisse, draineur ou coupe faim. Chacun a son mode d'action et ses propriétés. Il est important de choisir les bons en fonction du régime que l'on suit mais aussi de ses habitudes alimentaires et de sa physionomie.

Les produits drainants : une aide à l'amaigrissement

On trouve des actifs « drainants » dans certaines plantes. Les laboratoires en utilisent généralement pour concocter leurs gélules. Ces substances ont une action sur plusieurs organes comme le foie, les reins ou le système lymphatique. Leur mode de fonctionnement est multiple ; ils peuvent avoir une action diurétique qui permet d'augmenter la circulation de l'eau dans le corps et le volume des urines, c'est la raison pour laquelle il faut boire beaucoup d'eau afin de ne pas mettre son corps en déséquilibre.

Leur action est également bien présente pour purifier le foie et les reins en accélérant la filtration naturelle de ces organes. Certains actifs stimulent également la digestion. Cependant, ils ne font pas mincir à eux seuls, ils permettent d'accompagner toute la mise en place de règles diététiques. Il faut donc suivre un régime varié et équilibré et pratiquer un peu d'exercice.

✓ *Les plantes aux actifs « drainants » :*

La reine des prés a des vertus diurétiques qui permettent de résorber les œdèmes et de lutter contre la rétention d'eau.

Les feuilles de frêne ont également des vertus diurétiques ; elles sont utilisées pour lutter contre la rétention d'eau.

Le thé vert possède des actifs antioxydants, substances qui aident l'organisme à se protéger des maladies et du vieillissement en général. Il possède aussi des propriétés diurétiques et tonifiantes.

L'écorce de bouleau a les mêmes propriétés diurétiques et peut aider à lutter contre les problèmes de peau.

Le fenouil est bien connu pour stimuler la digestion et les ballonnements.

D'autres plantes comme le pissenlit, le cassis ou la bardane sont utilisées dans les produits drainants. Ces plantes ont une action diurétique. Elles peuvent être efficaces en cas de problèmes de digestion et de rétention d'eau, mais ne font pas maigrir à proprement parlé. A moins que leur utilisation ne soit accompagnée d'un régime.

Les brûle-graisses : des effets à confirmer

Les brûle-graisses, comme leur nom l'indique, servent à débarrasser l'organisme des graisses stockées en accélérant le métabolisme de base, et en favorisant la lipolyse. Elles peuvent se composer de plantes, des vitamines ou d'acides aminés. En voici une liste non exhaustive : caféine, thé vert (aux vertus tonifiantes), le hoodia d'Afrique du Sud (qui procure un effet de satiété puissant), le guarana d'Amazonie (riche en caféine), la spiruline (riche en vitamines, minéraux, acides aminés, enzymes et acides gras), nopal, chrome, L-carnitine (qui contribue à la conversion de graisses en énergie), le citrus aurantium, le chitosan, l'acide linoléique (qui favorise l'augmentation de la masse musculaire), et de nombreux produits composés…

Aucune étude scientifique n'a prouvé catégoriquement leur efficacité. Leur action serait déterminante à partir de doses massives, voir dangereuses. Dans tous les cas, il existe des interactions avec les médicaments qu'il ne faut pas négliger. Ces compléments peuvent néanmoins apporter un soutien psychologique et une motivation bien utiles lorsqu'on commence un régime.

On peut trouver ces compléments à l'état naturel des aliments : le chrome dans les céréales germées, les prunes, le foie, les noix, ou les fromages, le chou, le céleri, le citron, le poivron, le persil, les fraises, le kiwi, les oranges…

Les coupe-faim : efficaces mais à utiliser avec modération

Pris peu de temps avent le repas, les coupe faims à base de végétaux comme le konjac, le nopal, le fucus (algue brune), ou la caroube contiennent des principes actifs naturels qui absorbent l'eau, format ainsi une consistance dans l'estomac qui procure un effet de satiété. Un bon moyen pour éviter les fringales ou les repas abondants, mais n'en attendez pas un résultat important. Il doit être accompagné d'un régime amincissant pour perdre du poids. A long terme, ces produits peuvent entraîner des déséquilibres alimentaires ou digestifs. Un moyen encore plus naturel est de prendre des aliments riches en eau et en fibre comme les fruits, ou l'agar-agar japonaise, à base d'algues rouges.

Les coupe-faim contenant des dérivés d'amphétamine ont été retirés du marché à cause de leurs nombreux effets secondaires (hypertension artérielle pulmonaire, accident cardiovasculaire...). Ils ont été retirés du marché en 2000 et ont causé entre temps bien des dégâts. De quoi réfléchir avant de se jeter sur le dernier médicament miracle …

Les techniques esthétiques

Pour donner un coup de pouce à son régime, plusieurs méthodes sont proposées par les instituts de beauté ou par les médecins. Des techniques alternatives, moins traumatisantes que la liposuccion, qui peuvent servir d'accompagnement au régime. Elles sont une aide précieuse pour combattre la cellulite, cette peau d'orange localisée sur la face externe des cuisses, chez les femmes, et l'abdomen chez les hommes.

Les techniques d'amincissement ne peuvent dispenser d'une alimentation équilibrée et d'exercices physiques réguliers, car en matière de poids ou de cellulite, il n'y a pas de solution miracle. A noter, la bicyclette aquatique, l'aquagym ou la marche sont des sports qui luttent efficacement contre la cellulite. Les différentes techniques sont plus ou moins adaptées à chaque type de cellulite : la cellulite adipeuse par excès de graisse, la cellulite infiltrée par rétention d'eau et la cellulite fibreuse.

La lipoaspiration

La lipoaspiration, aussi connue sous le nom de liposuccion, est une technique par laquelle on aspire les amas de graisse superflus. Cette méthode innovante a été mise au point dans les années 1980. Depuis, elle a révolutionné la chirurgie esthétique car aujourd'hui, c'est l'intervention la plus pratiquée au monde.

Grâce à cette technique, on aspire les cellules graisseuses localisées, ces amas graisseux qui résistent aux différents régimes amaigrissants. Il est possible d'aspirer pratiquement toutes les régions du corps. Mais en règle générale, cette technique donne de bons résultats sur le ventre, les hanches, la culotte de cheval et les genoux. Elle est moins efficace sur toute la région située au-dessus du nombril, mis à part les bras et le double-menton.

La liposuccion n'est pas adaptée aux personnes obèses. Les résultats sont spectaculaires à condition que l'excès de graisse à retirer soit localisé, et à condition que la peau soit suffisamment élastique et tonique pour pouvoir se retendre après le retrait de la graisse.

Toute personne, aussi bien homme que femme, qui a des amas graisseux disgracieux peut avoir recours à cette technique. Le candidat idéal est une personne de poids normal pour sa taille, avec des excès de graisse localisés dans des zones précises (exemples : culotte de cheval, ventre, genoux…) et avec une peau de bonne qualité.

Les résultats d'une liposuccion sont durables, car les cellules adipeuses aspirées ne se régénèrent plus à l'âge adulte. Néanmoins, une bonne hygiène de vie est nécessaire après l'intervention car d'autres cellules peuvent apparaître si l'apport calorique est trop important. Les cicatrices sont infimes (quelques millimètres) et généralement cachées dans les plis de la peau.

Depuis la loi Kouchner de 2005, seuls les chirurgiens plasticiens peuvent pratiquer cette intervention. Un bilan préopératoire doit impérativement être effectué, comprenant une consultation avec un anesthésiste.

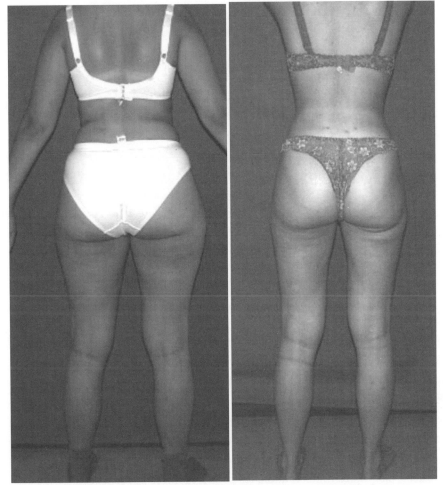

Liposaspiration circulaire des cuisses avec genoux, hanches et culotte de cheval.

La liposuccion est en effet contre-indiquée dans certains cas : les grands obèses, les personnes qui fument et les femmes qui prennent la pilule, en raison des risques non négligeables de phlébite ou d'embolie pulmonaire. Comme toute intervention chirurgicale, la liposuccion comporte des risques médicaux tels que les accidents thrombo-emboliques, l'hématome, l'épanchement lymphatique, les nécroses cutanées localisées, qui laissent des cicatrices larges, l'infection, et des complications esthétiques.

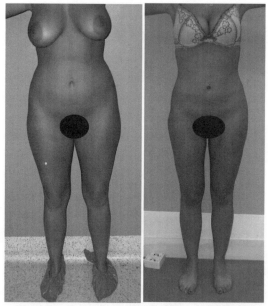

Liposuccion de 6,5 litres ventre, hanches, circulaire de cuisse et genoux.
Résultat sublimé par une perte de poids de 7kg dans les mois qui ont suivi cette lipoaspiration.

Le chirurgien devra analyser chaque cas avec attention. L'opération n'est pas conseillée en cas de manque d'élasticité de la peau ; il faut envisager un complément, à la liposuccion, comme un lifting.

Avant l'intervention, le praticien fait une ordonnance au patient pour l'obtention d'une gaine (ou panthy). Elle sera utilisée juste après l'opération pour faciliter le « redrapage » de la peau. Ce vêtement est porté durant 4 à 6 semaines idéalement nuit et jour.

Les résultats ne sont pas immédiats. Au début, les zones aspirées sont enflées et présentent souvent des ecchymoses (bleus). Le résultat est progressif. Les zones gonflées redeviendront normales environ un à deux mois après l'intervention, les dernières traces peuvent subsister jusqu'à six mois.

Le prix oscille entre 1 800 à 3 500 euros en fonction du mode d'anesthésie, de l'établissement médical et du nombre de zones traitées et de leur importance.

Le laser anti-poids ou lipolyse laser

Cette technique récente vise à re-sculpter le corps en éliminant les amas graisseux situés sur le ventre, les fesses, les hanches, la taille, les cuisses, les genoux ou les bras. Contrairement à la liposuccion, qui est une intervention chirurgicale, le laser est pratiqué sans hospitalisation, sous anesthésie locale et permet une meilleure rétractation cutanée.

L'intervention (de 1 à 3 heures selon les zones à traiter) se fait après un bilan clinique et sanguin. Passé un délai de réflexion, l'acte médical sera proposé et réalisé avec l'aide d'une assistante infirmière.

Un produit anesthésiant sera injecté au patient de façon particulièrement homogène dans les zones graisseuses choisies (à l'aide d'une canule fine, ce mélange assure l'absence quasi complète de douleur).

Le médecin place ensuite une fibre laser dans le gras, grâce à une aiguille, pour le liquéfier. La graisse est censée être évacuée par l'organisme. Le système lymphatique et les lipases dégradent le lysat graisseux et la chaleur stimule la synthèse du collagène, le tissu conjonctif est régénéré avec stimulation des fibroblastes (par la chaleur), ce qui provoque un effet tenseur sur la peau. Aucune aspiration cellulaire n'est réalisée, le lysat s'éliminant de lui même dans la circulation durant les jours suivants sans inconvénients particuliers. De rares douleurs peuvent exister quelques heures après l'intervention ; elles peuvent parfaitement être soulagées par des antalgiques.

Afin d'amplifier l'importance et la rapidité de l'évacuation des graisses par le système lymphatique vers le système hépatique puis rénal, on conseille un régime hyperprotéiné (dit « brûleur de graisse ») pendant 3 à 5 jours.
Enfin, après l'intervention, il est souvent préconisé quelques séances de massage drainant par un kinésithérapeute afin de favoriser l'évacuation des déchets cellulaires et des graisses par le système lymphatique.

Le laser est très efficace en termes de volume et de rétractation cutanée. De plus, il est très précis, permettant un traitement ciblé des zones de cellulite. Cette technique coagule les vaisseaux, donc limite l'apparition d'hématomes. Seulement de très légers hématomes peuvent apparaître, sans commune mesure avec ceux provoqués par la liposuccion. La reprise de l'activité professionnelle est possible dès le lendemain et celle d'une activité sportive sous huit jours. Sur les petites zones, une seule séance peut suffire. Les résultats sont optimum au moins trois mois après l'intervention.

Il faut savoir que les adipocytes éclatés ne reviennent jamais sous couvert d'une hygiène alimentaire et physique adaptées. En effet, les cellules graisseuses ne réapparaissent pas, mais celles qui sont avoisinantes peuvent se dilater lorsque l'apport alimentaire est excessif ou déséquilibré. Il faudra donc admettre que pour conserver les résultats obtenus, un équilibrage alimentaire sur le long terme est obligatoire voire même associé à une activité physique.

Le rayon-laser peut également servir à stimuler des points d'acupuncture. Il peut être utilisé pour chauffer une zone et activer la circulation sanguine, pour favoriser l'action d'un massage.

Coût moyen d'une séance : de 1 400 à 2 000 euros par zone selon le volume à traiter traitement préconisé : 1 à 2 séances en 4 mois d'intervalle).

Les ultrasons : sculpter son corps

La technique des ultrasons vise à dissoudre en profondeur (-15 millimètres) les adipocytes, sur une zone cible, en utilisant des ultrasons basse fréquence pour le traitement de la cellulite. Les ultrasons, indolores, vont libérer les graisses dans l'espace interstitiel. Celles-ci seront ensuite évacuées par les voies de drainage avant qu'elles ne soient captées par les adipocytes.

Comme le laser, l'ultrasonothérapie ne nécessite pas d'hospitalisation. C'est une solution ambulatoire dispensée dans un cabinet médical, elle ne nécessite aucune immobilisation, aucun suivi médical et aucune période de récupération. Le traitement est simple, court (entre une heure et une heure et demie et permet de traiter plusieurs zones telles que le ventre, la taille et les cuisses). Les patients ne ressentent aucune douleur ni sensation d'inconfort, que ce soit pendant ou après le traitement. Ils peuvent retrouver une activité normale immédiatement et n'ont besoin d'aucun traitement de suivi. Il n'y a pas d'effet secondaire ni d'hématomes.

Efficace en cas d'amas graisseux modérés et localisés dans une zone précise, la technique agit davantage sur le volume que sur l'aspect peau d'orange. Le système peut nécessiter plusieurs séances (1 à 3 séances d'une heure espacées de trois semaines chacune). Les résultats ne sont pas aussi importants que ceux de la liposuccion.

Le traitement est réalisé par un médecin après une consultation. Le professionnel commence par examiner et identifier la zone de traitement. Une fois le patient confortablement allongé sur la table de soins, l'opérateur utilise un transducteur manuel arrondi (qui convertit l'énergie électrique en énergie ultrasonique) pour délivrer doucement l'énergie ultrasonique thérapeutique sur la région identifiée du corps et rompre de façon sélective et sûre les adipocytes. La procédure complète est guidée par une haute technologie de suivi qui assure un remodelage uniforme et régulier.

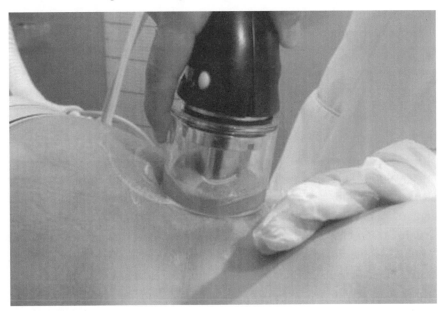

Le transducteur breveté UltraShape délivre une énergie à base d'ultrasons focalisés dans la couche graisseuse sous-cutanée. Des paramètres spécifiques pré-réglés assurent que seuls les adipocytes de la zone de traitement sont ciblés et que les tissus voisins tels que les vaisseaux sanguins, les nerfs et les tissus conjonctifs restent intacts.

Les résultats sont visibles un mois après l'intervention. Après un seul traitement, la plupart des patients ont noté une réduction moyenne de deux centimètres de la zone traitée et, après plusieurs séances, ils constatent une perte de six centimètres. Les patients ont indiqué que l'expérience n'était ni douloureuse, ni désagréable.

Les résultats perdurent dans le temps. Comme toute autre technique, il faut évidemment avoir une bonne hygiène de vie et une activité sportive régulière.

Coût moyen du traitement Ultrashape : 2 000 euros, renseignements : www.ultrashape.com

Certains instituts utilisent les ultrasons avant une séance de Powerplate (plateforme vibrante) qui fait travailler toutes les fibres musculaires. Les graisses libérées par l'ultrason seront ainsi consommées par les muscles. En 10 séances la graisse est en partie éliminée et les muscles sont tonifiés. Les vibrations peuvent provoquer des démangeaisons et, parfois, des maux de tête.

Coût moyen : environ 75 euros la séance, renseignements : www.power-plate.fr

Le drainage lymphatique

Le drainage lymphatique est un massage doux réalisé le plus souvent dans des cabinets de kinésithérapie, dans les hôpitaux ou dans des centres esthétiques. Avec cette technique, les petits vaisseaux font remonter le liquide lymphatique vers les veines et le cœur. Ainsi, le drainage décongestionne les jambes et les cuisses de la lymphe qui a tendance à s'y accumuler.

On connaît l'existence de la lymphe depuis 1654, grâce aux travaux du physiologiste danois Thomas Bartholin. Ce liquide incolore a pour fonction de nourrir et nettoyer les cellules ; il représente 15 % du poids corporel. Lorsque la circulation de la lymphe dans les vaisseaux lymphatiques est déficiente, le corps s'affaiblit et s'intoxique, ce qui entraîne divers problèmes de santé : vieillissement prématuré, cellulite, jambes lourdes, vergetures, chevilles enflées, etc. La lymphe, qui circule dans le corps grâce aux contractions pulsées des muscles et des vaisseaux sanguins, draine les toxines et les débris cellulaires. Des ganglions situés le long des vaisseaux lymphatiques, en particulier aux plis de l'aine, sous les aisselles et de chaque côté du cou, permettent d'épurer la lymphe avant qu'elle soit redirigée vers le système sanguin par l'intermédiaire des veines.

Il existe deux méthodes principales en drainage lymphatique manuel : la méthode Vodder et la méthode Leduc. La pratique du docteur Emil Vodder remonte à 1932, année où il mit au point sa technique tandis qu'il cherchait un moyen de traiter les sinusites chroniques. Il l'a ensuite utilisée pour d'autres affections à des fins thérapeutiques et esthétiques. La méthode du docteur Albert Leduc est issue des travaux de Vodder, mais utilise des manœuvres quelque peu différentes. De plus, cette approche combine le drainage lymphatique à l'utilisation d'appareils de pressothérapie (permet d'exercer une pression simultanée à divers endroits).

L'objectif des drainages est alors de restaurer un fonctionnement normal et de remédier aux faiblesses du système chez les patients concernés. Cette méthode lutte donc contre les troubles circulatoires lymphatiques qui aggravent la cellulite. Elle concerne en particulier les membres inférieurs lorsqu'on veut cibler les zones où se trouve la cellulite ; cependant, il s'agit généralement d'un drainage de l'ensemble du réseau lymphatique superficiel. Le massage est donc effectué sur l'ensemble du corps (épaules, ventre, jambes...).

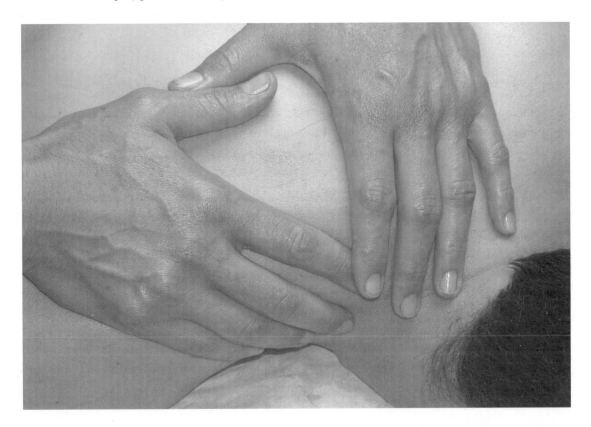

Pour ce drainage, il faut compter environ une heure voire une heure et demie. Le praticien découvre la zone à traiter et exécute une série de mouvements lents et doux, semblables à l'effet d'une vague, qui créent un effet de pompage. Il procure au patient une sensation de bien-être et de légèreté, car la lymphe, qui s'était accumulée dans les tissus et pouvait causer des sensations de lourdeurs et de gonflements, a été drainée vers les veines et le cœur.

Le drainage lymphatique apporte aussi des bienfaits sur la circulation veineuse, notamment lorsqu'il existe une insuffisance veineuse manifestée, par exemple, par des varices.

Cette technique est efficace en cas de rétention d'eau et de troubles circulatoires. Quant à l'aquadrainage lymphatique, il est encore plus performant, car il associe l'effet du drainage à la gymnastique. L'eau a une action de massage grâce au courant qui renforce l'action en profondeur sur les muscles.

Coût : environ 50 euros la séance.

L'endermologie

L'endermologie est une technique non invasive qui permet de remodeler sa silhouette. A l'origine, cette méthode servait à traiter les cicatrices, les brûlures et les tissus musculaires endommagés. C'est un massage technologique qui s'effectue avec un appareil de type Cellu M6. L'appareil produit une action de « palper-rouler » combiné avec un système d'aspiration. Efficace pour lutter contre la rétention d'eau et la fibrose, il a un effet limité sur la cellulite adipeuse.

Le soin est appliqué par un professionnel (médecins, kinésithérapeutes ou esthéticiennes ayant bénéficié d'une formation spécifique de la marque LPG System®). L'appareil possède une tête de traitement équipée de rouleaux indépendants et motorisés. Les rouleaux motorisés s'appliquent sur l'ensemble du corps en insistant sur les zones qui nécessitent un traitement plus approfondi. Lors du soin, le patient revêt un collant intégral afin de préserver sa pudeur et d'éliminer la gêne éventuelle due à la pilosité. L'aspiration contrôlée soulève délicatement la peau et la fait rouler pour masser en profondeur les zones à traiter, augmentant ainsi la microcirculation sanguine de la peau et la circulation lymphatique. Avec l'étirement et la restauration du tissu conjonctif, les toxines sont expulsées et, par drainage, la rétention anormale des fluides est résorbée.

Les nouveaux rouleaux sont très efficaces et sont indolores. Cette technique a une bonne action sur la rétention d'eau et sur la tonicité de la peau. A noter que chaque séance est différente tant en fonction de l'intensité que de la profondeur du massage. Les séances commencent par un massage du dos au plexus pour que la patiente se décontracte. Ensuite, le massage débute de façon superficielle et se poursuit en profondeur ; le travail du praticien est alors d'orienter les rouleaux pour qu'ils descendent dans les tissus. Cette progression est nécessaire pour donner à la peau le temps de s'assouplir. La première séance pour des peaux non habituées, peut être légèrement douloureuse ; ensuite, au cours du traitement, il n'y a plus de douleur.

Cette technique se base également sur un véritable suivi de la patiente. Le traitement comprend trois bilans. Une première visite est établie en vue de faire le point sur ses objectifs en fonction de ses habitudes alimentaires, de sa morphologie et de ses antécédents médicaux. Une deuxième visite, entre la 7e et la 10e séance, intervient à un moment où l'on constate les premiers effets. La troisième visite a lieu à la fin de la cure d'attaque, c'est-à-dire, après les 15 séances (deux séances par semaine). Elle permet de faire le point et de proposer à la cliente un suivi adapté (1 à 2 séances par mois).

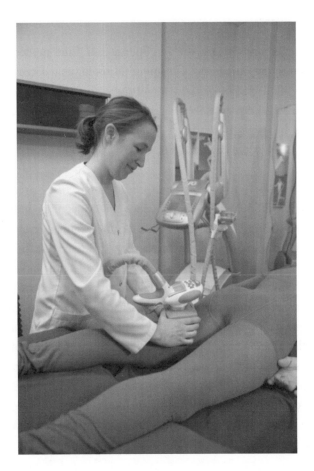

Les professionnels recommandent aux patients d'avoir une bonne hygiène de vie et de faire leurs séances régulièrement s'ils veulent obtenir des résultats optimums.

Il est à noter que cette méthode est à proscrire en cas de blessures récentes, de grossesse, de diabète ou d'hypertension

Coût : environ 50 euros la séance de 35 minutes (environ 15 séances sont nécessaires pour obtenir des résultats), renseignements sur www.endermologie

Un numéro vert est disponible pour connaître les instituts pratiquant le Cellu M6 : 0800.803.806

Les solutions hypo-osmolaires

Ces techniques sont des solutions alternatives à la liposuccion. Elles ne nécessitent pas d'opérations chirurgicales mais seulement des injections. Un sérum physiologique d'eau distillée est injecté par le médecin dans les zones cibles. Ce liquide, pénètre à l'intérieur des adipocytes et les fait gonfler puis éclater. La graisse est censée être métabolisée par l'organisme. La médisculpture favorise leur élimination grâce à des infrarouges combinés à l'électrothérapie. La morpholipostructure active l'élimination des amas graisseux par les ultrasons.

✓ *La médisculpture*

La médisculpture est une méthode issue de la recherche médicale, elle combine plusieurs techniques de biotechnologies qui ont toutes fait leurs preuves et qui n'abîment pas la peau. Cette technique traite les zones cibles en alternant lipolyse et injections. La lipolyse détruit le contenu des cellules graisseuses en élevant la température de l'hypoderme grâce à un appareil, le Médisculpt. Des injections vont ensuite éliminer les cellules. La médisculpture convient aussi bien aux hommes qu'aux femmes sur des amas graisseux localisés et nécessite en parallèle le suivi d'un régime amaigrissant. Sans intervention chirurgicale, ni effets secondaires, cette technique douce ne nécessite pas d'immobilisation. Il s'agit toujours de techniques douces, beaucoup moins traumatisantes que la liposuccion. Selon une étude clinique, la médisculpture permettrait une perte moyenne de 4 cm de tour de taille ou de hanches, 2 à 3 cm de tour de genou et de 4 à 7 cm de tour de cuisse. Il faut au minimum trois séances complètes pour traiter une zone.

Tarifs Médisculpt : 100 à 120 euros la séance, injections : 100 à 150 euros la séance pour une zone.

Renseignements : www.medisculpture.com

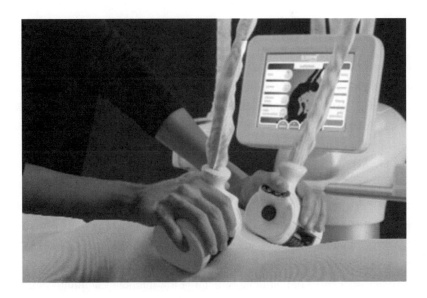

✓ *La MorphoLipoSculpture*

Comme la médisculpture, la morpholipostructure est une alternative à la liposuccion qui permet d'éliminer les amas graisseux, sans intervention chirurgicale. Composée d'injections hypo-osmolaires et d'ultrasons, la morpholiposculpture est une méthode scientifique brevetée d'amincissement. Elle a été mise au point en 2006, en France, par le Docteur François Alamigeon, médecin esthétique et son équipe de recherche. On injecte un liquide hypo-osmolaires (de l'eau légèrement salée) dans les cellules graisseuses à l'aide d'une aiguille très fine. Dans un deuxième temps, les ultrasons détruisent les cellules graisseuses fragilisées. Le traitement peut être suivi de divers soins tels que le micro drainage. La concentration en eau et en sel varie selon la zone à traiter. Le système expert « Check Before Injection » permet d'analyser la composition des tissus et de repérer les zones à traiter et la quantité de produit à injecter.

La technique pourrait faire perdre 1 à 2 cm après chaque séance, selon une étude clinique réalisée sur 500 patients, mais aussi une amélioration de la micro-circulation, un effet de drainage des membres inférieurs, une amélioration de l'état cutané, plus tonique.

Cette méthode convient aux patients souffrant de surcharges graisseuses ou cellulite localisés (culotte de cheval, ventre, poignées d'amour, double menton, intérieur des cuisses ou des bras...). Il faut de deux à quatre séances, espacées d'une semaine pour traiter la zone ciblée.

Coût : entre 1 000 et 2 500 euros selon les zones à traiter.

Les crèmes anti-capitons

Depuis leur apparition, les crèmes anticellulite ont deux objectifs principaux : la fonte des graisses et le drainage de l'excès d'eau. On y trouve deux grandes familles d'actifs : d'abord, les brûleurs de graisse tels que la caféine, le géranium, le guarana, le cacao ou encore le thé vert. Toutes ces substances augmentent la cadence des récepteurs présents sur la peau qui brûlent la graisse. Ensuite, les activateurs de circulation, car chez la femme en particulier, la cellulite s'accompagne de rétention d'eau. Les actifs drainants (queue de cerise, pissenlit, houx, frêne, pépins de raisin…) dégonflent en éliminant l'excès d'eau présent dans les cellules et renforcent les parois des petits capillaires sanguins. En combinant ces deux sortes d'actifs, l'ensemble des crèmes présentent sur le marché s'attaquent ainsi deux principales raisons de l'effet peau d'orange : les cellules graisseuses et la rétention d'eau.

Désormais, les crèmes minceurs vont au-delà. Suivant la marque, elles contiennent en plus des actifs lissant (silicium, protéines de soie…) pour gommer la peau d'orange, des actifs raffermissant (bambou, kiwi, vitamines…) pour améliorer la qualité de la peau, ou encore des ralentisseurs de stockage (boldo, pommier, hortonia…) pour empêcher les lipides de notre alimentation de se stocker sous la peau.

Dans l'idéal, la pose de la crème doit être suivie d'un long massage et d'une séance d'activité physique. En effet, le massage est partie intégrante de l'action de la crème. Il stimule la circulation sanguine et draine les déchets toxiques Parallèlement, le massage conduit à une légère dépense énergétique. Il contribue aussi à assouplir les fibres de collagène et d'élastine, et ainsi, à atténuer l'aspect peau d'orange. Et enfin, le fait de toucher son corps, d'appliquer un produit sur la peau, participent déjà au traitement et produit un effet psychologique non négligeable. Il suffit de réaliser quotidiennement des mouvements circulaires de bas en haut assez appuyés. Seuls des massages très énergiques permettront au sang de bien circuler et donc de faciliter une élimination très rapide des déchets cellulaires. Il est préférable de réaliser le massage après une douche ou un bain chaud car l'hydratation et la température constituent deux éléments favorisant la pénétration de la crème. Exfolier au préalable à l'aide d'un gel exfoliant ou d'un gant de crin prépare aussi la peau.

Certaines crèmes amincissantes agissent dès 14 jours de façon très efficace tandis que d'autres, au contraire, agissent sur le long terme. Dans les deux cas, il est impératif de respecter scrupuleusement la fréquence d'application et l'intensité des massages.

Crèmes minceur, concentré raffermissant, affinant, gel anti-capitons, anticellulite… toutes ces appellations ne proposent pas le même effet. Certains produits ne feront que raffermir ou lisser la peau et ne dépasseront donc pas l'épaisseur de l'épiderme ; tandis que d'autres agiront sur les amas graisseux. Il faut donc bien lire les indications des produits pour trouver celui qui correspond le mieux à ce que vous voulez traiter.

A noter aussi que les grandes marques de crèmes anti-capitons proposent désormais des produits bio qui ne contiennent pas de dérivés de la pétrochimie et pas de paraben.

Crèmes à partir de 20 euros.

La mésothérapie

La mésothérapie est un traitement médical consistant à administrer des médicaments par micro-injections sous la peau. Cette technique a été mise au point en 1952 par le docteur Michel Pistor. Son idée : « Injecter peu, rarement et au bon endroit ». D'où l'idée d'injecter le minimum de produit à proximité du problème que l'on veut traiter.

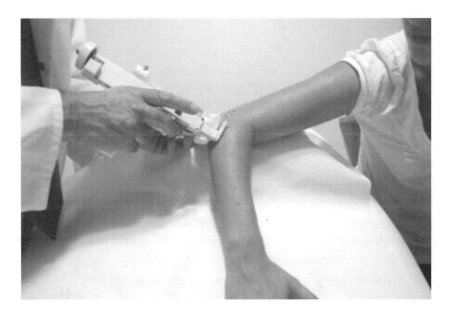

Cela évite donc aux substances de passer dans le sang et d'aller vers d'autres organes. Le but de la méthode est de réduire au maximum les effets secondaires des médicaments. Elle est pratiquée exclusivement par des médecins et est enseignée en Facultés de Médecine.

Ce sont des injections locales, faites sous la peau, peu douloureuses avec des aiguilles de 4 à 13 mm de longueur ou à l'aide de matériel à usage unique (technique manuelle avec seringue et aiguille ou technique assistée avec l'aide d'un injecteur électronique). Les produits utilisés sont disponibles en pharmacie. Il n'y a pas de contre indications pour utiliser cette technique, elle convient à tous et à toutes. La mésothérapie est fréquemment utilisée par les sportifs de haut niveau pour soigner leurs traumatismes articulaires ou leurs problèmes musculaires. Plus généralement, la méthode est utilisée pour soigner les infections (angine, sinusite, bronchite...), certaines affections d'ordre dermatologique (zona, herpès), les rhumatismes ou encore les douleurs chroniques (en particulier la migraine). Ses actions apaisantes, anti-douleur ou anti-inflammatoires sont à l'origine de ces indications. Du côté de la médecine esthétique, la mésothérapie est également proposée aux femmes ayant de la cellulite. Après un examen approfondi, le médecin prépare un mélange adapté au degré de cellulite à traiter composé de vitamines, de minéraux et de caféine. La séance, d'une vingtaine de minutes, coûte entre 45 et 75 euros. Il faut compter au moins quinze séances pour voir un début d'amélioration.

Son effet est immédiat en diminuant le dépôt de la cellulite par manque d'irrigation et secondaire en allant chercher les cellules graisseuses déjà accumulées dans l'hypoderme pour les éliminer dans le réseau veineux.

✓ *La Mésothérapie va traiter la cellulite par :*

- un traitement local anticellulite pour améliorer l'aspect et la consistance « peau d'orange », Mésolyse.

- un traitement général vasculaire pour améliorer notablement le drainage veino-lymphatique, Mésodraine.

- un traitement des troubles fonctionnels, traitement de la dysneurotonie, Mésostress.

Les séances de mésothérapie anticellulite sont en moyenne de 10 : cinq séances à une semaine d'intervalle chacune, puis cinq séances à 15 jours d'intervalle chacune. Par la suite, il faudra faire au moins le Mésodraine tous les 1 à 2 mois, pour conserver le meilleur drainage veineux possible afin de limiter la cellulite.

Le traitement de la cellulite par la mésothérapie a fait la preuve de son efficacité. Cinquante ans de recul et de regard critique ont démontré des améliorations notables. Le traitement basé sur le drainage ou la stimulation veino-lymphatique donne des résultats visibles sur l'aspect et surtout sur la douleur engendrée par des jambes lourdes, gonflées et cellulitiques. L'association à la mésothérapie d'appareillages à ultrasons et palper-rouler peut en accélérer et potentialiser les résultats. La méthode est indolore et se pratique sans anesthésie.

La chirurgie

L'anneau gastrique

L'obésité est reconnue aujourd'hui comme une maladie lourde de conséquences. Des mesures préventives sont mises sur pied pour essayer d'enrayer son développement. Mais, quand la maladie est là, d'autres solutions existent. Elles sont le fruit de la recherche médicale.

La méthode la plus répandue est la pose d'anneaux gastriques. Aujourd'hui, cette méthode tend à se banaliser, s'intégrant dans ce phénomène de société et les candidats sont de plus en plus nombreux. La pose de Bypass reste plus marginale en France puisque l'opération est plus lourde et est réservée aux grands obèses. Quant à la « sleeve » gastrectomie, elle n'est adoptée que par ceux qui sont prêts à s'engager pour cette opération irréversible (ablation d'une partie de l'estomac). Ces interventions ne se font pas à la légère et sont réservées à des sujets bien ciblés.

Qui est concerné ?

Les indications opératoires de l'obésité sont précises. La Sécurité sociale prend en charge la pose d'anneau pour un BMI4[4] supérieur à 40. Cependant le chiffre de 35 peut être retenu quand existe déjà une comorbidité (maladie conséquence de l'obésité).

La pose d'un anneau ne peut donc être proposée que pour un surpoids déjà considérable (par exemple 115 kg pour 1,70 m ou 100 kg pour 1,60 m). Les complications opératoires, bien que rares, existent et il ne faut certes pas opérer quelqu'un qui n'aurait à perdre que 10 kg ou 15 kg.

Une restructuration psychologique

C'est le patient lui-même qui doit prendre sa décision. Les comportements immatures sont à écarter, de même les déficiences intellectuelles, l'alcoolisme, les toxicomanies, les dépressions sévères et les psychoses. Cette décision ne doit jamais être prise rapidement, mais doit être le résultat d'une longue réflexion personnelle pour le candidat.

Il faut bien expliquer la contrainte alimentaire qui va en résulter. Des contacts avec d'anciennes personnes opérées sont souhaitables, des réunions sont organisées à cet effet.

L'anneau impose de manger lentement, de très bien mastiquer et cela tous les jours. Ces règles mettent à l'écart les mangeurs compulsifs incapables de ne pas se jeter sur la nourriture dans certaines situations de frustration. Ceux qui, lors de crises d'angoisse, ont un comportement

---

[4] Le BMI (body mass index) est le rapport entre le poids et le carré de la taille : kg/m^2. Exemple de mesure du BMI : pour quelqu'un mesurant 1m62 et pesant 92 kilos, le BMI s'obtient par la formule 92 divisé par (1,62x1,62), c'est à dire 92 divisé par 2,6244. Le BMI est donc de 35. On parle de surpoids au-dessus de 25 (1/3 des Français), d'obésité au-dessus de 30 (10 % des Français) et d'obésité morbide au-dessus de 35 (800 000 en France)

boulimique ne peuvent raisonnablement envisager la pose d'un anneau, à moins que l'entame d'une psychothérapie parvienne à corriger ce comportement. Les grignoteurs arrivent en général à changer leurs habitudes une fois l'anneau posé et ne sont pas une contre-indication, mais avaler de petites quantités toute la journée reste mécaniquement possibles avec l'anneau.

Enfin certaines personnalités fortes n'accepteront pas la contrainte du suivi, croyant pouvoir le gérer seules et s'exposeront à un échec. En fait, il est difficile en une ou quelques entrevues, de cerner la personnalité des patients. Il est important d'avoir l'avis d'un psychologue et d'un diététicien, de contacter aussi le médecin de famille qui connaît le candidat de longue date.

Il faut bien comprendre que la pose de l'anneau ne va pas pour autant effacer les difficultés de la vie. L'obésité est souvent le symptôme d'une perturbation psycho-affective : on se console en mangeant lorsqu'on ressent une frustration ou un vide existentiel.

Il faut savoir entamer un travail d'introspection pour essayer de regarder la réalité autrement, l'accepter et non la subir en mangeant dès que survient une contrariété. Ce sera l'occasion pour certains d'une remise en cause de leur personnalité, qui nécessitera un travail à plus long terme, la pose de l'anneau devenant ainsi le catalyseur d'une restructuration psychologique.

Souvent, cette étape de l'entretien avec la psychologue est un obstacle insurmontable pour certains patients qui préfèrent alors abandonner le projet.

Mais, cela permet une sélection spontanée des candidatures : les personnes qui souffrent de tensions affectives trop fortes et dont les réactions de défense inconsciente sont telles, qu'elles ne peuvent supporter une remise en question, s'exposeraient en général à un échec après la mise en place d'un anneau, car leur souffrance psychique ferait très mauvais ménage avec l'anneau ; elles pourraient s'exposer à des problèmes de dilatation.

Un engagement à long terme

Enfin, quand on se fait poser un anneau, on s'engage pour l'avenir. C'est seulement en acceptant de continuer au fil des années, d'observer les règles alimentaires et de se soumettre au suivi avec contrôle radiographique, qu'on ne s'exposera pas à se le voir retirer pour une complication. Il faut savoir consacrer beaucoup à son anneau, donc à sa santé, à soi-même. Mais cela suppose des efforts de volonté constants et durables.

Certes, d'autres solutions chirurgicales existent, moins contraignantes pour le patient, mais plus risquées, mutilantes et guère réversibles, comme le Bypass gastrique. Elles s'adressent notamment aux boulimiques et mangeurs compulsifs, ainsi qu'aux grignoteurs de sucreries et sont réservées plutôt aux super-obèses dont le BMI dépasse 50, ainsi qu'aux échecs de l'anneau ayant nécessité son ablation.

Anneau gastrique et grossesse

Une grossesse est parfaitement possible avec un anneau, alors qu'inversement l'obésité est parfois facteur de stérilité. Mais il faut desserrer l'anneau dès le début de la grossesse dans la crainte que les vomissements le déplacent et pour éviter d'éventuelles carences. Pour cette raison, on déconseille la grossesse durant la période initiale d'amaigrissement.

La gastroplastie

Cette technique chirurgicale a pour but de réduire la quantité des aliments ingérés en plaçant un anneau sur une partie de l'estomac. La digestion reste inchangée puisque la filière digestive normale (estomac, duodénum, intestin grêle et gros intestin) est préservée. Le principe est de provoquer une satiété rapide. L'opération réduit la capacité de l'estomac à un petit réservoir. Ce dernier se remplit donc très rapidement et le patient ne ressent plus la sensation de faim ; dès lors, il restreint son alimentation sans difficulté.

Il existe deux techniques d'anneaux : la gastroplastie par agrafage vertical et celle par anneau.

La gastroplastie par agrafage vertical

Un réservoir de 40 ml est constitué à l'aide d'une pince spéciale qui place quatre rangées d'agrafes verticalement sur l'estomac. L'orifice de sortie a un diamètre de 12 mm et ne se modifie pas grâce à un petit anneau de silastic (plastique souple) placé à son niveau. L'intervention, comme toutes les autres, se réalise sous anesthésie générale et dure en moyenne une heure. Elle implique la réalisation d'une cicatrice d'environ 7cm verticale sous le sternum. Cette incision est douloureuse et justifie un séjour hospitalier de trois jours après l'opération. L'alimentation sera moulue durant les premières semaines. Tous les aliments sont habituellement tolérés ; cependant, la viande (blanche et rouge) et le pain blanc ne sont plus supportés dans 90 % des cas. L'intervention est partiellement réversible par retrait de l'anneau de silastic au bas du réservoir (opération réalisée par laparoscopie5[5]). Les carences alimentaires sont généralement peu importantes et peu fréquentes (suppléments en fer et acide folique parfois nécessaires).

5[5] Il s'agit d'une intervention réalisée sous anesthésie et qui exige deux à trois petites incisions cutanées dans le nombril et en divers endroits du bas ventre. Le médecin introduit dans le nombril un endoscope (comme un petit télescope) qui lui permet d'observer la cavité abdominale en vision panoramique. Ensuite, il peut introduire de fins instruments dans le bas-ventre pour réaliser l'opération.

La gastroplastie par anneau siliconé ajustable

L'anneau gastrique ajustable est un anneau implantable placé autour de la partie supérieure de l'estomac, partageant celui-ci en deux tel un sablier dont l'élément supérieur a une capacité d'environ 20ml.

Il se compose de trois parties : l'anneau siliconé lui-même qui est doublé d'un ballonnet de remplissage ; une chambre d'injection en titane (port-à-cath) placée sous la peau et un fin tuyau siliconé reliant les deux éléments. L'injection d'un liquide spécial dans le port-à-cath permet de gonfler le ballonnet de l'anneau, de diminuer ainsi son diamètre et donc de serrer l'estomac.

Les avantages de cette technique sont nombreux :

- l'anneau est placé par laparoscopie (cœlioscopie) c'est-à-dire à l'aide d'une vidéo-caméra miniature et d'instruments spéciaux qui permettent de réaliser cette opération sans ouvrir l'abdomen, évitant donc une incision inesthétique et douloureuse. La durée opératoire est en moyenne de 1 heure. La sortie de l'hôpital est de ce fait rapide, généralement au bout de deux jours, voire le lendemain de l'opération ;

- l'anneau est place autour de l'estomac donc, en cas d'enlèvement de l'anneau, l'anatomie de l'estomac est complètement restaurée ;

- le réglage de l'anneau est aisé et adapté à chaque patient, ce qui permet un amaigrissement harmonieux et bien toléré, sans carence alimentaire importante ;

- l'alimentation sera liquide durant quatre semaines. Au bout de cette période, on pratique un premier gonflement de l'anneau et, dès ce moment, autorisation d'une alimentation moulue durant deux semaines. Au terme de ces deux semaines, on effectue le deuxième gonflement de l'anneau et le patient a l'autorisation de manger solide. Par la suite, un ou plusieurs ajustements sont parfois nécessaires et se réalisent aisément lors d'une consultation de routine.

Fonctionnement

Dès les premières bouchées, la poche au-dessus de l'anneau est pleine, car elle ne peut contenir qu'environ 15 à 20 cc. Un sentiment de satiété est alors ressenti.

Les aliments solides doivent être très consciencieusement mastiqués. Une fois les premières bouchées dégluties, il faut attendre patiemment qu'elles aient franchi l'anneau sous peine d'accumulation dans l'œsophage et de régurgitations.

Pour cela, il est fondamental d'aménager son emploi du temps quotidien pour pouvoir faire des repas étalés sur 30 ou 45 minutes, en petite quantité et surtout en dehors de moments de stress, sous peine de spasmes qui rendent alors l'alimentation impossible. On peut éventuellement remplacer le repas pris au travail par 2 ou 3 petites collations.

Certains aliments, même bien mastiqués, pourront être à l'origine « d'accrochages douloureux », certaines viandes notamment et devront être écartées ou mixées. Il faut être particulièrement vigilant en début de repas, ne pas oublier la consigne de bien mastiquer et démarrer doucement.

Il faut éviter de boire en mangeant. On peut le faire peu avant le repas ou entre les repas. Les boissons gazeuses et bien sûr sucrées, même « light » sont déconseillées.

L'anneau est gonflable, procurant une gêne plus ou moins importante. Un serrage excessif n'est pas souhaitable.

Le volume des prises alimentaires au cours de chaque repas est très réduit, diminuant d'autant les apports caloriques. L'organisme est donc obligé de puiser dans ses réserves de graisses pour les transformer en calories. Si les recommandations diététiques sont respectées, il n'y aura cependant aucune carence protidique, ni en vitamines.

La masse grasse de l'organisme va diminuer et la masse musculaire augmenter, d'autant que l'activité physique peut se développer avec la perte de poids, la reprise de la marche, en particulier, est vivement conseillée tous les jours. Il est souhaitable de faire du sport une fois par semaine, mais les sports de contact sont à éviter du fait de la présence du boîtier sur la paroi abdominale. La plongée sous-marine avec bouteilles est contre-indiquée.

L'anneau gastrique s'adapte à chaque obésité. C'est une intervention ajustable, car l'anneau va être gonflé un mois après sa mise en place (temps nécessaire à sa fixation en bonne place par la cicatrisation). Le chirurgien ponctionne le boîtier sous cutané avec des précautions d'asepsie rigoureuses et injecte un liquide qui permettra d'ajuster le gonflage en plusieurs fois.

L'opération

Il s'agit d'une opération faite sous cœlioscopie. Cette méthode consiste à gonfler (sous anesthésie générale) l'abdomen avec un gaz pour introduire un optique par un orifice d'1 cm, relié à une caméra qui transmet l'image sur un écran.

L'intervention se déroule par l'intermédiaire d'instruments fins introduits par des orifices de 5 ou 10 mm. Elle dure en général un peu moins d'une heure. Bien que la cœlioscopie permette des suites très simples, cette chirurgie ne doit pas être banalisée pour autant. La difficulté du geste est en fonction du degré de stéatose hépatique (et donc du volume et de la fragilité du foie). Il faut savoir que des risques de perforation instrumentale existent ; bien qu'exceptionnels, ces risques peuvent être lourds de conséquences.

Les avantages de l'anneau

Il s'agit d'un mécanisme simplement restrictif, ne présentant pas de conséquences malabsorptives, comme d'autres interventions, qui sont elles « mutilantes ». C'est aussi une méthode réversible : il est possible de dégonfler l'anneau, par exemple lors d'une grossesse ou en cas d'incarcération d'un aliment non mastiqué. La cœlioscopie a fait le succès de cette intervention par les avantages décisifs qu'elle apporte chez l'obèse, pour qui la chirurgie conventionnelle nécessitait de grandes incisions et qui est plus exposé aux complications pariétales, respiratoires et de décubitus.

Les résultats

La perte de poids est habituellement comprise entre 0,5 et 1 kg par semaine. Parfois rapide le premier mois, elle doit se stabiliser ensuite aux alentours de 500 grammes à 1 kg par semaine. Un amaigrissement trop rapide n'est pas souhaitable se faisant souvent au prix de vomissements, d'une contrainte alimentaire trop sévère si l'anneau est trop serré, et ne permettant pas l'intégration psychologique de la métamorphose accomplie.

L'obèse sent très vite une amélioration nette de son état physique et de ses gestes de la vie courante. Son psychisme évolue souvent aussi de façon positive. De même vont diminuer l'essoufflement et les douleurs articulaires.

On obtient progressivement l'amélioration, voire la disparition de l'HTA, du diabète, des apnées du sommeil. La perte de poids s'étale sur 18 mois à 2 ans.

Elle atteint au moins 50 % de l'excès de poids initial pour 80 % des malades à 2 ans (l'excès de poids étant calculé par rapport à un « poids idéal », correspondant à un BMI de 22,5).

Les obèses qui n'obtiennent pas les résultats escomptés sont quand même améliorés dans leur vie quotidienne et leur image corporelle (les études font apparaître plus de 90 % de satisfaction). En fait l'anneau agit par sa simple présence comme un coupe-faim, permettant de tenir le régime qu'il impose dans la durée, sans être tenaillé par la faim. Une fois la perte de poids obtenue, il ne faut pas craindre un effet rebond, comme avec les régimes habituels, car l'anneau reste là pour couper la faim. Et si l'ablation ultérieure reste possible, elle n'est pas conseillée pour cette raison. Il n'y a pas d'intolérance décrite à ce jour pour ce matériel.

Les conséquences sur la peau

Elles sont très variables suivant l'âge, le degré d'amaigrissement, la texture cutanée et les antécédents de grossesse. Une chirurgie esthétique est souvent souhaitable, mais c'est affaire de chacun, selon ses désirs.

Il est recommandé d'attendre d'avoir atteint un poids stable pour la réaliser, car si un amaigrissement supplémentaire survient ensuite, il risque à son tour de demander une retouche chirurgicale.

Les complications

Tout acte chirurgical peut avoir des complications à plus long terme ; la pose d'un anneau gastrique n'échappe pas à la règle. Il existe différents types de complications.

L'incarcération d'aliments

L'incarcération d'aliments avalés trop rapidement ou mal mastiqués, se traduit par des douleurs et des vomissements.

Si ceux-ci persistent plus d'une journée empêchant toute alimentation, il est impératif de contacter le chirurgien rapidement pour dégonfler transitoirement l'anneau et laisser passer l'aliment incarcéré, sous peine de voir s'installer une dilatation pouvant même obliger, si on attend trop, à retirer l'anneau par cœlioscopie en urgence.

La dilatation chronique

C'est la complication la plus fréquente. Elle peut résulter d'un comportement alimentaire inadapté en particulier trop rapide, avec mastication insuffisante et vomissements fréquents.

Mais, elle est surtout la conséquence d'un serrage excessif. Celui-ci n'est pas forcément bien perceptible au début, car on s'est habitué à une gêne importante au passage des aliments et la dilatation se développe progressivement. Le dégonflage de l'anneau s'impose alors, voire son ablation en urgence dans certains cas « d'étranglement » de la poche devenue énorme.

La seule façon d'éviter cela est de se soumettre correctement au suivi demandé. Seule la radiographie avec ingestion d'un produit opaque en présence du chirurgien, peut détecter les signes prémonitoires qui permettent de dégonfler partiellement l'anneau, par prudence, et évitent l'évolution vers d'autres complications.

La dilatation irréversible

La poche alors est devenue flasque, distendue. Il faut dégonfler complètement l'anneau, mais le tube digestif ne pourra pas récupérer de bonnes contractions, même plusieurs mois après dégonflage, et l'anneau ne pourra plus être resserré.

C'est dire l'importance dans ces cas de la reprise en mains par le diététicien et le psychologue : beaucoup de kilos ont été perdus grâce à l'anneau, maintenant qu'on ne peut plus le resserrer, il s'agit de ne pas les reprendre.

Il arrive que ces poches distendues ne s'évacuent que par trop plein avec des régurgitations pendant plusieurs heures après les repas, obligeant à se rabattre sur ce qui passe mieux (potages, aliments fondants hypercaloriques) jusqu'à ce qu'un jour se produise un véritable étranglement de la poche devenue énorme, obligeant à l'ablation de l'anneau en urgence.

Il faut donc insister sur l'importance du respect des rendez-vous fixés pour revoir le chirurgien, en particulier après un gonflage, même si tout semble aller pour le mieux, car encore une fois, c'est la radiographie qui peut, seule, donner l'alarme au début.

De même si l'on traverse une période difficile, source de beaucoup d'angoisse, l'anneau devient comme un « nœud sur l'estomac », obligeant à sauter certains repas, provoquant des vomissements et il faut alors savoir revenir en consultation pour le desserrer un peu, quitte à le regonfler plus tard.

La migration de l'anneau

Une autre complication plus rare est l'ulcération muqueuse au contact de l'anneau, amenant progressivement à la « migration » de celui-ci dans la lumière digestive et obligeant à une ablation par le biais d'une cœlioscopie.

Les complications au niveau de la chambre d'injection

Retournement, déconnexion de la tubulure, infection, bien que moins graves, obligent cependant à un geste chirurgical.

Pour conclure, il faut donc savoir que la pose d'un anneau comporte de multiples risques. Le pourcentage de ré-interventions pour complications est loin d'être négligeable et le devenir, au long terme, n'est pas encore bien connu.

Les premiers anneaux ont été posés, il y a plus de 15 ans mais en petit nombre (par laparotomie) ; l'essor spectaculaire de la méthode (lié à la cœlioscopie) ne s'est produit que depuis huit ans.

Le Bypass gastrique

Le Bypass gastrique, « Gastric Bypass » des anglo-saxons, procède d'un mécanisme restrictif, comme l'anneau gastrique, doublé d'un mécanisme malabsorptif du fait d'un montage en « court circuit ».

L'estomac est réduit, comme par l'anneau gastrique, à une petite poche supérieure, mais la partie inférieure, c'est-à-dire la presque totalité de l'estomac, n'est plus en circuit, contrairement au montage procuré par l'anneau. Ainsi, le brassage des aliments et leur pré-digestion par l'acide et les enzymes gastriques se trouvent réduits à leur plus simple expression, puisque limités à cette petite poche supérieure.

De même la totalité du duodénum et une part plus ou moins importante de l'intestin grêle sont eux aussi exclus du circuit alimentaire, procurant une absorption incomplète des nutriments. On peut ainsi obtenir un amaigrissement plus rapide, plus complet et plus certain.

Les avantages du Bypass

L'avantage de cette technique est essentiellement une moindre contrainte que l'anneau, obligeant moins que lui à une observance diététique, ne réclamant pas autant que lui un suivi scrupuleux, évitant en particulier l'ajustement des serrages.

Pratique de longue date aux Etats-Unis à « ventre ouvert », le Bypass gastrique est outre- atlantique, l'intervention de référence. La réalisation du Bypass gastrique par cœlioscopie l'a rendu plus attractif et l'a popularisé à son tour en Europe, d'autant que, parallèlement, se démasquaient les complications des anneaux après la flambée d'enthousiasme que leur avait apporté cette même cœlioscopie.

Les inconvénients du Bypass

Bien évidemment, le Bypass gastrique s'écarte considérablement de la physiologie de la digestion et a pour corollaire inéluctablement des carences multiples, conséquences de la malabsorption, qui nécessiteront un traitement supplétif à vie en différentes vitamines. Ces apports, même bien observés, ne mettront pas cependant toujours à l'abri de problèmes (déminéralisation osseuse, par exemple).

L'inconvénient du Bypass gastrique, outre les carences déjà décrites, est bien sûr la lourdeur du geste qui présente un côté mutilant, puisqu'il exclut l'estomac, le duodénum et une partie de l'intestin grêle, mais aussi difficilement réversible contrairement à l'anneau et non ajustable.

Les risques opératoires ne sont pas non plus du tout du même ordre (péritonites par désunions des sutures, hémorragies, occlusions) avec un certain pourcentage de mortalité, alors que celle-ci reste exceptionnelle avec l'anneau. Quant aux complications mécaniques à distance, elles semblent moins fréquentes qu'avec l'anneau, mais peuvent obliger, là aussi, à des ré-interventions (occlusions intestinales notamment).

Comment choisir entre Bypass gastrique et anneau gastrique ?

L'indication du Bypass gastrique est en principe réservée aux déviances alimentaires graves qui ne pourraient faire bon ménage avec la contrainte procurée par un anneau et aux obésités très sévères dont le BMI dépasse 50 ou 55 et pour qui le Bypass gastrique est garant d'un amaigrissement plus spectaculaire.

Ce qui a poussé beaucoup de chirurgiens en France à se tourner vers le Bypass gastrique, c'est aussi l'apparition des complications sur les anneaux qu'ils avaient posés, puis retirés. Les patients mis ainsi en situation d'échec deviennent des candidats potentiels au Bypass, car la remise en place d'un anneau a de grandes chances de reproduire les mêmes complications.

L'occurrence des complications sur les anneaux gastriques a augmenté progressivement avec l'ancienneté de leur pose, tempérant l'enthousiasme qu'ils avaient suscité. Cependant, les complications de l'anneau ne sont pas inéluctables. Pour les éviter, une discipline s'impose non seulement aux opérés, mais aussi aux opérateurs qui doivent savoir observer une sélection rigoureuse parmi les nombreuses demandes qui leur sont faites, ainsi qu'une préparation contraignante pour leurs patients, puis un suivi et un encadrement parfois inexistants.

Aucune piste n'est donc à négliger, comme l'accompagnement par des réunions d'information périodiques avec anciens et futurs opérés, aucun détail comme la pratique des serrages à la radio par le chirurgien lui-même. Moyennant ces précautions, on peut réduire considérablement la fréquence des complications.

Il faut cependant savoir avant de prendre la décision de se faire opérer qu'un certain nombre d'anneaux posés devront être retirés un jour pour des complications mécaniques. Mais, il faut savoir aussi que l'effet de mode joue à son tour pour le Bypass gastrique.

Il est donc préférable de s'attacher à réduire le mieux possible les causes repérables des dilatations sur anneaux et ne réserver le Bypass gastrique, intervention plus risquée, qu'aux comportements alimentaires aberrants irréductibles.

La « sleeve » gastrectomie

La « sleeve » gastrectomie consiste en la résection verticale de plus des 2/3 de l'estomac. L'intérêt récent porté à cette opération réside dans le fait que l'ablation d'une majeure partie de l'estomac, outre son caractère restrictif, élimine une quantité de cellules gastriques (dites cellules pariétales) qui sécrètent une hormone : la ghréline. Celle-ci stimule l'appétit en agissant au niveau du système nerveux central.

L'intervention se réalise classiquement par laparoscopie. Elle est techniquement de réalisation relativement aisée mais se caractérise par son côté irréversible. Les risques de fistules ou d'abcès post-opératoires immédiats existent mais sont rares.

Le recul est insuffisant pour pouvoir juger de l'efficacité à long terme de cette intervention – notamment le risque de dilatation gastrique après plusieurs années – mais les résultats obtenus à moyen terme semblent excellents.

Contrairement à la technique de l'anneau gastrique, la sleeve gastrectomie ne comporte l'implantation d'aucun matériel étranger dans l'organisme.

Les complications

Des complications opératoires sont possibles (perforation, hémorragie, impossibilité d'intubation de la trachée), elles peuvent amener à interrompre la procédure.

Une section de l'estomac est réalisée, avec le risque de fistulisation (nécessitant une nouvelle intervention) et d'hémorragie. Ce sont des complications graves, qui peuvent mettre en jeu le pronostic vital.

Certaines de ces complications sont urgentes (impossibilité de s'alimenter, vomissements importants...) ; elles seront toujours mieux gérées par le centre chirurgical où le patient a été opéré.

Les résultats

Les résultats à long terme ne sont actuellement pas connus. A priori, le résultat sur la perte de poids à 5 ans est intermédiaire entre le bypass et la gastroplastie : environ 60 % de l'excès de poids, mais cela doit être confirmé par des études scientifiques.

Des échecs de la sleeve sont possibles, les causes sont les mêmes que la gastroplastie et le bypass : l'absence de suivi médical par une équipe expérimentée, pas de modifications du comportement alimentaire, pas d'activité physique régulière.

Le ballon gastrique

Cette technique est recommandée pour les personnes d'un BMI inférieur à 35. Ces patients ne sont pas candidats à la gastroplastie, car leur poids n'est pas assez élevé. Elle s'adresse parfois à des patients ayant un poids plus élevé mais qui, pour diverses raisons, ne sont pas encore prêts pour la chirurgie.

Le ballon gastrique est une méthode non chirurgicale pour perdre du poids qui consiste à mettre un ballon dans l'estomac, pour entraîner de la satiété. Le ballon est laissé 6 mois dans l'estomac. Cette méthode doit entraîner une perte de poids de 10 à 25 kg.

Le ballon est un starter. Il permet de perdre en 6 mois le poids qui nécessiterait un effort pendant 2 ans.

C'est une technique qui doit s'intégrer dans une prise en charge médicale, nutritionnelle et éventuellement psychologique de la surcharge pondérale pendant la pose du ballon et aussi après son ablation. L'engagement des patients par rapport aux changements alimentaires et à leur comportement est un facteur essentiel du résultat.

Comme toute intervention, cette méthode comporte des risques et des complications. Un suivi médical est nécessaire.

Les outils

Classification des principaux régimes

	Efficacité	Rapidité	Facilité	Equilibre	Coût	Variété
Montignac	***	*	**	****	****	*****
Shelton	***	**	*	***	**	*
Scarsdale	****	**	*	-	***	*
Fit for life	***	**	**	***	**	***
Hollywood	***	***	**	***	***	***
Hyperprotéiné	**	****	***	***	****	***
Low carb	***	****	*	-	**	**
Pritikin	***	**	**	***	**	***
Crudivore	***	***	*	**	***	**
Végétarien	***	***	*	**	**	**
Acido-basique	****	**	***	***	***	***
Groupe sanguin	*	**	**	**	**	***
Anti-cellulite	***	***	***	****	***	***
Paléolithique	**	**	*	*	***	**
Chrono-nutrition	**	**	***	***	**	***
Shapiro	***	**	***	***	**	****
Okinawa	****	***	***	****	***	***
Méditerranéen	**	****	***	****	***	***
Kousmine	***	**	**	****	***	****
Californien	***	***	**	****	**	****
Mincavi	***	**	***	***	**	*****
Macrobiotique	***	**	*	***	****	****
Zermati	****	**	***	**	**	****
Dr Weil	****	**	***	****	**	****
Miami	***	***	***	****	***	***
Mentalslim	****	**	***	****	**	****

Les outils - Classification des principaux régimes

Weight watchers	****	**	**	***	****	*****
Mayo	*	*****	*	-	**	**
Soupe	****	*****	*	***	**	**
Le jeûne	**	*****	*	-	-	-
The zone	****	**	***	***	***	***
Dr Cohen	***	***	***	***	**	***
Fricker	***	**	***	****	**	***
Substituts	****	***	****	**	*	-
Structure house	****	**	***	***	***	****
Step diet	****	**	***	***	**	****
Eating well	****	**	**	***	***	****
Volumétrique	***	***	***	****	***	****
Flavor Point Diet	***	***	***	***	**	***
Best Life	****	**	***	****	**	****
Compléments		*		**	*	-
Médicaments		****	*****	***	**	-

A chacun son régime : selon ses besoins, ses habitudes, ses envies, tel ou tel régime sera plus ou moins adapté. Quinze jours avant d'aller sur les plages, la motivation n'a jamais été aussi grande que le reste de l'année, lorsqu'on est bien emmitouflé dans de grands pulls et manteaux. Les régimes rapides sont les plus recherchés, mais il faudra s'engager dans un suivi à long terme si l'on ne veut pas retrouver les kilos perdus et même plus.

✓ *Rapidité*

Parmi les plus rapides, on peut citer les régimes hypocaloriques bien sûr : régime mayo, régime soupe ou Weight Watchers. Les régimes d'exclusion (Scaresdale, hyperprotéiné, low carb) provoquent une perte de poids importante, mais doivent impérativement être limités à une très courte période. Les carences entraînant des risques évidents pour la santé. Ils sont en quelque sorte la solution de facilité. On leur préférera les régimes hypocaloriques ou bien les régimes équilibre Okinawa et méditerranéen qui préconisent eux aussi une réduction des apports tout en privilégiant nature et équilibre.

De manière générale, il a été largement prouvé que la réduction des apports caloriques a des effets bénéfiques sur le poids mais aussi la santé et l'espérance de vie. Tout est une question de dosage. A outrance, la réduction calorique peut devenir nocive pour des raisons de frustrations suivies de crise boulimiques ou bien par l'effet de stockage par l'organisme en vue de la prochaine réduction des apports. De manière mesurée la réduction calorique va permettre, outre une silhouette affinée, un meilleur fonctionnement de l'organisme à tous les niveaux : digestif, circulatoire, hormonal…

L'idéal serait peut être de réhabiliter une légère sensation de faim, comme un signal naturel, sans tomber dans les excès : trop forte, cette sensation provoque une déréglementation, trop faible, elle provoque une sur alimentation.

✓ *Efficacité*

L'efficacité d'un régime se mesure en termes de perte de poids à court et moyen terme. Les régimes rapides que l'on a vus plus haut sont efficaces. Cependant, il existe aussi des régimes dont les effets sont lents mais importants. Tel est le cas du régime Montignac qui, grâce à sa nouvelle façon de choisir des aliments à index glycémique bas entraîne une perte de poids inévitable et sure.

✓ *Facilité*

La mise en application des régimes demande des efforts variables en termes de préparation ou de suivi. La palme revient, bien sûr, aux substituts et médicaments, qui sont les solutions de facilité par excellence. Les conséquences sur la santé sont tout aussi évidentes que leur mise en application : il n'y a pas de miracle. Les régimes hypocaloriques sont très difficiles à suivre, tandis que les régimes dissociés sont plutôt contraignants en termes de mise en œuvre. Les régimes équilibre Okinawa, crétois et anticellulite par le retour aux aliments simples et non transformés, et par leur équilibre, sont parmi ceux qui sont les plus faciles à suivre.

✓ *Equilibre*

Les régimes équilibre ont un chapitre qui leur est consacré : ce sont les régimes méditerranéen, Okinawa, Kousmine et californien. Ils prônent un retour à des aliments simples issus de chacune des catégories alimentaires, sans faire d'impasse. On voit que la plupart des régimes s'attachent à un bon équilibre. Mauvaise note, par contre, pour les régimes d'exclusion bien évidemment, mais aussi le régime mayo qui fait l'impasse sur des catégories essentielles telles que les matières grasses, les féculents et légumes secs. Dans une moindre mesure, le régime groupe sanguin entraîne des risques de carences selon les régimes propres à chaque groupe.

✓ Coût

Le coût des aliments ou des préparations conseillées varie d'un régime à l'autre. Le régime hyperprotéiné par exemple demande un budget supérieur en raison de l'achat de sources de protéines comme la viande ou les préparations protéinées. Idem pour le régime Montignac qui conseille l'achat de toute une gamme de produits développés par la marque Michel Montignac. Cependant les aliments de base recommandés sont très abordables. En prônant le choix d'aliments naturels et non préparés, les régimes équilibre sont également économiques. Par contre, l'achat de produits issus de la culture biologique dans le régime Kousmine peut faire très vite augmenter la note. Le régime Weight Watchers nécessite quant à lui le paiement de droits d'inscription.

✓ Variété

Les régimes encadrés par Weight Watchers ou Minçavi offrent de nombreuses recettes de préparation et vont puiser dans l'ensemble des ressources alimentaires. Intéressant pour les fins gourmets qui apprécieront les recettes élaborées. Les régimes équilibre offrent une gamme variée de produits cuisinés avec une délicieuse simplicité. Ce retour à la cuisine simple, élaborée avec des produits de qualité, est très tendance chez les grands chefs. Ils feront fureur aussi sur votre bien être et santé.

Calculer son poids idéal

Il est important de connaître son taux de graisse corporelle pour observer les résultats de son régime et éviter les risques liés à l'excès de poids (maladies cardiovasculaires, diabète, cancer…).

Indice de masse corporelle

L'indice de masse corporelle permet de déterminer sa corpulence, et de connaître son poids optimal. Celui-ci se calcule en fonction du poids et de la taille. La formule de calcul est la suivante :

IMC = masse / taille^2.

L'IMC est la mesure standard utilisée par l'OMS

Taille Poids	150	155	160	165	170	175	180	185	190
40	18								
50	20	19	18						
60	22	21	20	18					
70	24	23	23	20	19	18			
75	27	25	27	22	21	20	19	18	
80	29	7	29	24	22	21	20	19	18
85	31	29	31	26	24	23	22	20	19
90	33	31	33	28	26	24	23	22	21
95	36	33	35	29	28	26	25	23	22
100	38	35	37	31	29	28	26	25	24
105	40	37	39	33	31	29	28	26	25
110	42	40	40	35	33	31	29	28	26
115	44	42	42	37	35	33	31	29	28
120	47	44	44	39	36	34	32	31	29
125	49	46	46	40	38	36	34	32	30
130		48	48	42	40	38	35	34	32
135				44	42	39	37	35	33
140				46	43	41	39	37	35
145				48	45	42	40	38	36
150					47	44	42	39	37
155					48	46	43	41	39
160						47	45	42	40
165						49	46	44	42
170							48	45	43
							49	47	44
								48	46

Interprétation des résultats :

Inférieur à 15 : famine

15 à 18,5 : maigreur

18,5 à 25 : corpulence normale

25 à 30 : surpoids

30 à 35 : obésité modérée

35 à 40 : obésité sévère

Plus de 40 : obésité morbide ou massive

Inventé au XIXe siècle par l'astronome et mathématicien Lambert Adolphe Jacques Quételet, l'IMC est aussi appelé indice de Quételet. Les compagnies d'assurance l'utilisent pour déterminer les risques d'accident cardio-vasculaire. Les risques liés au surpoids commencent à augmenter à partir d'un indice de 21. Au fur et à mesure de l'augmentation de l'IMC, les maladies cardio-vasculaires, cancers, diabète, augmentent.

La validité de l'IMC est cependant limitée. Cette mesure s'adresse uniquement aux personnes de 18 à 65 ans, sédentaires et elle est inadaptée aux femmes enceintes ou allaitantes, aux personnes très grandes ou très petites. En outre, elle ne prend pas en compte la masse musculaire ni la masse osseuse. Ainsi, les sportifs, sont souvent en surpoids alors que leur état de santé est très bon.

Indice de masse grasse

Une autre mesure, le bilan impédancemètrique permet de connaître de façon précise la masse osseuse, la masse grasse, le taux de masse hydrique (déshydraté, hydraté ou rétention d'eau) et la masse musculaire.

Comme son nom l'indique (impédance=résistance et métrique=mesure) le bilan impédancemètrique mesure la résistance de l'influx électrique émis par les électrodes de l'appareil et circulant dans les fluides du corps. Lorsqu'il traverse les fluides du corps, le courant électrique circule librement. Lorsqu'il traverse la graisse, l'influx rencontre une résistance (l'impédance bioélectrique). Le corps est fait de masse maigre, composée à 73 % d'eau, et de masse grasse, dépourvue d'eau. La masse grasse peut être donc mesurée de façon précise grâce à l'estimation de la masse hydro-électrique du corps qui se mesure grâce à la résistance, la longueur et le volume conducteur. Plusieurs fréquences permettant de mesurer les différents secteurs hydriques.

Guide des aliments

Table des calories

Le tableau indique la valeur en calories des aliments pour 100 grammes ou 100 millilitres (valeur moyenne). Ce tableau est fourni à titre indicatif, il est susceptible de variations.

Il peut être utile de connaître ses besoins caloriques pour surveiller son alimentation. Les besoins varient en fonction de l'âge, du sexe, de l'activité et de la corpulence. On conseille habituellement une consommation de 2100 à 3400 calories par jour pour les hommes en fonction de leur temps d'activité ou d'exercice par jour, de 1800 à 2500 calories pour les femmes adultes.

Légumes	Calories	Légumes secs	Calories
Ail	139	Haricots blancs secs	330
Asperges	26	Lentilles	330
Betteraves	40	Pois secs	330
Carottes	32	Pois chiches	361
Céleris	20	Pois cassés	342
Cerfeuil	65	Maïs	364
Champignons	28	Haricots rouges	328
Choucroute	27		
Choux de Bruxelles	54	**Céréales**	**Calories**
Chou-fleur	30	Farine blanche	353
Chou rouge	38	Pain	238
Ciboulette	39	Pain complet	239
Concombre	12	Pain de seigle	241
Endives	22	Biscottes de blé	362
Épinards	32	Flocons d'avoine	371
Haricots verts	23	Germes de blé	387
Laitue	18	Semoules et pâtes	375
Oignons	40	Riz complet	349
Poireaux	42	Riz blanc	139
Pommes de terre	86	Soja (farine)	359
Radis	20		
Tomates	20		

Fruits	Calories		Fruits secs	Calories
Abricots	44		Amandes	620
Airelles	25		Arachides	560
Ananas	51		Châtaignes	199
Bananes	90		Châtaignes sèches	371
Cerises	77		Dattes	306
Citrons	43		Figues sèches	275
Figues fraîches	80		Noisettes	656
Fraises	40		Noix	660
Framboises	40		Pruneaux	290
Groseilles	30		**Crustacé**	**Calories**
Mandarines	40		Crabe crevette	70
Melons	31		Langouste homard	70
Oranges	44			
			Poissons	**Calories**
Pamplemousses	43		Anchois	160
Pêches	52		Anguille	200
Poires	61		Brochet	78
Pommes	52		Cabillaud	68
Prunes	64		Carpe	90
Raisins	81		Colin	86
Rhubarbes	16		Dorade	77
			Sole	73
			Maquereau	128
			Merlan	69
			Perche	112
			Raie	89
			Sardines	174
			Saumon	114
			Thon	225

Boissons	Calories		Sucreries	Calories
Bière	35		Bonbons divers	378
Cidre	40		Cacao	386

Eaux de vie	280	Chocolats	530
Limonade	48	Confitures	280
Vin blanc	80	Miel	300
Vin rouge	65	Pâtisseries	475
Coca-Cola	45	Sucre	400
Jus d'oranges	50	Crème de marrons	240

Viandes	Calories	Charcuteries	Calories
Bœuf	250	Boudin	290
Cheval	110	Jambon cuit	290
Mouton	250	Jambon fumé	290
Veau	168	Pâté de foie gras	290
Porc	290	Salami	290
Jambon	302	Saucisse	290
Lard	290	Saucisson	290
Gibiers	100	Pâté	510
Cervelle	130	Cassoulet	146
Cœur	126	Choucroute garnie	113
Foie	116		

		Volailles	Calories
Corps Gras	**Calories**	poule	302
Huiles végétales	900	poulet	150
Margarines	752	Oie	200
Graisses animales	778	Autruche	140
Mayonnaise	710	Dinde	170

Produits laitiers	Calories	Produits laitiers	Calories
Flan	99	Hollande	331
Lait entier	68	Béchamel	570
Lait demi-écrémé	45	Gruyère	391
Lait écrémé	36	Petit suisse	168
Crème	298	Brie	271
Yoghourt	45	Camembert	312
Beurre	760		
Beurre.41%	370		
Fromage maigre 0%	64		

fromage blanc 20%   72

L'Index et la charge glycémique

✓ *L'index glycémique*

L'index glycémique (IG) mesure l'élévation du taux de glucose sanguin après l'ingestion d'un aliment contenant des glucides. Au dessus de 50, l'index glycémique est élevé. L'aliment hyperglycémiant entraîne une sécrétion élevée de l'insuline qui provoque, à forte dose, un stockage du glucose sous forme de graisses. A contrario, les aliments à faible index glycémique entraînent une sécrétion faible d'insuline. Plusieurs facteurs comme la cuisson, la présence de fibre alimentaire, de protéines et de lipides ou la taille de la particule alimentaire, influent sur le taux d'index glycémique. Une alimentation riche en aliments à IG élevé augmente les risques de diabète de type II et de maladies cardiovasculaires. Les aliments à index glycémique faible, quant à eux, ont un effet de satiété qui permet de réduire la ration alimentaire, mais aussi une efficacité énergétique plus longue.

✓ *La charge glycémique*

La charge glycémique (CG) tient compte de l'effet des fibres alimentaires présentes dans l'aliment pour déterminer la quantité de glucides dits « disponibles ». Le melon d'eau, par exemple, a un index glycémique très élevé (72), alors que sa charge glycémique est faible (4).

Enfin, la charge glycémique tient compte non seulement de la qualité des glucides mais aussi de leur quantité.

En savoir plus :

Martina Kittler et Marion Grillparzer, *Recettes à faible index glycémique : Ou comment maigrir sans stress*, Editions Vigot.

Anne Dufour et Carole Garnier, *Le régime express IG minceur, 100 recettes en 15 minutes*, Editions Leducs.

Amanda Cross, *Moins de sucre, adieu les kilos, 70 recettes réalisées en moins de 30 minutes*, Edition Octopus.

Pour aller plus loin

Les ouvrages

Tout savoir sur les aliments : Vérités et impostures

✓ **Laurent Chevallier, Poche, janvier 2009.**

Laurent Chevallier est médecin consultant en nutrition. Il analyse de façon détaillée les composants de notre alimentation actuelle et ses effets néfastes sur la santé. Les additifs, les arômes, les produits allégés qui ont des effets inattendus. Il dénonce les nouvelles techniques manipulatrices de la publicité. Enfin, il propose des repères nutritionnels et des solutions personnelles, pour consommer autrement et préserver à la fois la santé et le plaisir.

Jus de légumes santé : La nature dans un verre

✓ **Valérie Cupillard, Editions Jouvence, janvier 2009.**

Les jus de légumes : un délicieux moyen d'atteindre la quantité suffisante de fruits et légumes à consommer quotidiennement pour assurer les besoins en vitamines, sels minéraux et oligo-éléments nécessaires à l'équilibre alimentaire. Le livre offre une aide précieuse pour choisir les aliments de saison, utiliser le matériel, préparer les légumes et les recettes…

Le Rapport Campbell : La plus vaste étude internationale à ce jour sur la nutrition

✓ *Colin Campbell, Thomas M Campbell, traduit par Annie Ollivier, Edition Ariane, 2008*

Le rapport Campbell est le compte-rendu d'une étude menée pendant de nombreuses années par le Dr Campbell, une des plus grands spécialistes en nutrition, professeur émérite du département de biochimie nutritionnelle à l'université Cornell. L'ouvrage nous livre de nouvelles réponses sur des sujets actuels tels que le cancer, le prolongement de la durée de la vie, l'épidémie d'obésité. Il démystifie les informations trompeuses de l'industrie alimentaire et prône un retour à une alimentation saine, seule façon de réduire les risques de cancer, de maladies cardiaques, de diabète et d'obésité.

Maigrir, le Grand Mensonge

✓ *Jean-Michel Cohen, Flammarion*

Face au grand désarroi exprimé par ses patients, le Dr Cohen, nutritionniste, répond avec clarté aux multiples questions que se posent tous les postulants à la minceur. Quelles sont les quantités de fruits et de légumes à manger chaque jour ? Quels sont les régimes qui marchent ? Il tente de faire le point sur le flot d'informations nutritionnelles, les scandales alimentaires, les messages gouvernementaux, et les méthodes farfelues telles que les pilules miracles ou les machines inutiles. Il propose également des solutions : un régime « universel » et des menus savoureux, fondés sur des certitudes partagées par l'ensemble des scientifiques. Un livre pour mincir en toute intelligence et sécurité.

Le Dr Jean-Michel Cohen a déjà publié de nombreux ouvrages parmi lesquels de nombreux best-sellers : *Savoir maigrir, Au bonheur de maigrir* et *Bien manger en famille*.

Le roman des régimes

✓ *Jean-Michel Cohen, Editions J'ai lu.*

Un ouvrage passionnant sur le poids en lien avec le psychisme. Boulimie, anorexie, ou obésité sont révélateurs de conflits intérieurs. Le docteur Jean-Michel Cohen, nutritionniste propose de réconcilier ses patients avec leur corps. Un véritable roman-réalité qui nous fait partager la vie d'une mère de famille surprotectrice, une étudiante boulimique, une jeune anorexique… A travers l'histoire de ces personnages attachants, le docteur Jean-Michel Cohen révèle les secrets familiaux et les ressorts psychologiques qui se cachent dessous les comportements alimentaires et leur pathologie.

Le régime des stars

✓ *de Barry Sears, Poche*

Un régime équilibré pour être plus mince, vivre mieux et plus longtemps, selon ses hormones. Madonna, Pamela Anderson, Ryan, Brad Pitt, George Michael et Demi Moore et près de trois millions de lecteurs auraient été conquis par cette méthode. L'auteur démontre comment le déséquilibre hormonal perturbe l'ensemble de l'organisme et comment l'alimentation peut rétablir harmonie et équilibre, retrouver la performance physique et intellectuelle, la forme, la silhouette. Plutôt que le nombre de calories, il préconise de surveiller les sécrétions d'hormones déclenchées par les aliments, notamment l'insuline, l'objectif étant de rester dans une zone d'équilibre ou "zone libre". Pour respecter les sécrétions hormonales de l'organisme, certains horaires sont également à respecter. Des recettes détaillées aident à composer des menus sur mesure. Le livre montre comment les régimes hyperprotéinés ne peuvent fonctionner et répond à de nombreuses questions sur les régimes pour retrouver minceur, santé et un moral d'acier.

Objectif minceur : Mon programme pour maigrir semaine après semaine

✓ **Jean-Michel Cohen, Sioux Berger, Alice Leroy, et Bernard Radvaner, février 2009. Prix : 15,00 euros**

Un programme d'amaigrissement et de stabilisation conçu sous la forme d'un semainier par un nutritionniste reconnu, le Dr Jean-Michel Cohen. Le régime est personnalisable et suit trois phases : confort, booster et consolidation. Pour mincir durablement le coach minceur propose des conseils adaptés, un programme de 44 semaines de menus, un carnet de bord à tenir chaque jour, et plus de 50 recettes minceur savoureuses.

Jean-Michel Cohen intervient régulièrement à titre d'expert spécialiste en nutrition sur des plateaux de télévision ainsi dans divers magazines et a écrit plusieurs ouvrages à succès (Savoir manger)

Les sites internet

Voici une sélection de sites ayant trait au régime et aux nombreux sujets qui lui sont liés

Doctissimo : les régimes de A à Z

✓ *http://www.doctissimo.fr/html/nutrition/mag_2001/mag0831/regimes_niv2.htm*

Une foule d'informations sur les régimes, sur la nutrition et la diététique, avec des comparatifs, des informations, des tests, des outils et des tas de réponses dans le forum.

Mes Régimes, le site qui compare les régimes

✓ *www.mesregimes.com*

Pour tester et choisir son *régime* grâce aux informations sur chaque régime et les conseils des internautes. Un forum est consacré aux régimes amaigrissants (www.mesregimes.com/tous-les-forums_regimes.htm).

Guide minceur : comparatif des régimes, équilibre alimentaire et santé

✓ *www.guide-minceur.org*

Le site a pour ambition d'apporter une vision globale et objective de la nutrition pour ne pas faire d'erreur dans le choix de son régime. Une partie « Régimes Minceur » présente un comparatif de plusieurs régimes (Montignac, Hyperprotéiné, Weight-Watchers, Atkins, Chronorégime ...), leur efficacité et leur éventuel danger. La section « Régimes Santé » propose un ensemble de régimes qui permettent d'améliorer sa santé (Okinawa, Crétois, Préhistorique...). Ils présentent des conseils nutritionnels et diététiques complets.

Psychomédia : les stratégies pour maigrir sainement

✓ *http://www.psychomedia.qc.ca/pn/modules.php?name=News&file=article&sid=4280*

Ce site consacré à la psychologie propose un dossier complet sur les problèmes de poids. Et les solutions proposées par les experts pour maigrir durablement et sainement. Les articles font le point sur l'actualité de la recherche, les stratégies gagnantes, les astuces, les régimes…

L'observatoire Cniel des habitudes alimentaires « comprendre les mangeurs »

✓ *http://www.lemangeur-ocha.com/*

Un site très riche sur l'alimentation, les cultures et les comportements alimentaires en relation avec les identités, la santé et les modes de vie. Depuis 15 ans, L'Ocha travaille sous l'égide d'un comité scientifique, à un programme à long terme d'études et de publications dont l'objectif est de comprendre les mangeurs et la relation qu'ils entretiennent avec l'alimentation.

Les comptes rendus de livres, les dossiers, sont très utiles pour comprendre les modes d'alimentation et ses enjeux culturels, et sociologiques. On y trouve aussi l'agenda des événements pour avoir l'éclairage des plus grands spécialistes du domaine. Une mine d'or.

123 maigrir

✓ *http://www.123maigrir.com*

Un site complet sur la minceur et l'actualité minceur, avec au sommaire de nombreux conseils dans la rubrique nutrition. Les sites rassemble une communauté de celles et de ceux qui veulent maigrir, avec au sommaire de nombreux outils pratiques (calculateurs, tests, menus…).

L'Institut français pour la nutrition

✓ *http:// www.ifn.asso.fr/*

On y trouve de nombreux comptes-rendus de recherche, des dossiers et l'actualité en matière d'alimentation et de nutrition. L'Institut français pour la nutrition a pour objet de favoriser la concertation entre les milieux scientifiques et les professionnels, participe à la réalisation des recherches dans le domaine de la Nutrition, et participe à l'information de l'opinion. (voir le dossier Nos aliments en 200 questions).

Les aliments santé

Les aliments santé

Questions aliments, il est parfois difficile de s'y retrouver entre les mises en garde des uns et les recommandations des autres. Le sucre, le sel mais aussi la viande rouge, le lait, les œufs, la pomme de terre ou le vin, ont été tour à tour accusés de multiples maux ou encensés pour leurs qualités. Mieux vaut éviter de diaboliser tel ou tel type d'aliments, car chacun possède ses qualités, tout est question de mesure. On peut néanmoins orienter ses choix selon les objectifs poursuivis. Pour lutter contre la fatigue et l'anémie, on pourra par exemple privilégier les viandes, les volailles, les œufs ou les poissons, riches en en fer, mais aussi les lentilles, les haricots ou les épinards. L'effet sera encore plus probant en les associant à des aliments riches en vitamine B12 ou à la vitamine C qui favorise son assimilation. Les herbes aromatiques en contiennent souvent beaucoup et elles accompagnent à merveille les viandes. Enfin, on évitera le thé, le café et même le chocolat qui limite l'assimilation du fer par l'organisme. Pour lutter contre le vieillissement, les aliments riches en antioxydants sont une source de jouvence. Ils protègent des radicaux libres et nourrissent la peau. Les fruits et les légumes en sont largement pourvus, notamment les plus colorés, riches en caroténoïdes : tomates, carotte, épinards… Les aliments riches en vitamine A ont également des vertus bénéfiques sur la peau. On la trouve dans les œufs et le foie. A noter, les vitamines B12 peuvent augmenter les problèmes d'acné de même que le sel iodé. Enfin, pour booster le cerveau certains aliments sont particulièrement indiqués comme les germes de blé, le jaune d'œuf, les huiles végétales riches en vitamines E et en iode, ou les viandes riches en fer, notamment l'agneau le boudin et la volaille.

Abricot

Les abricots sont riches en éléments nutritifs. Deux abricots peuvent en effet couvrir la moitié des besoins en vitamine A. L'intensité de leur couleur détermine leur teneur en bêta carotène, qui est transformé par l'organisme en vitamine A. Celle-ci est essentielle à la croissance à la vue, au système immunitaire et au développement des cellules. Elle joue un rôle déterminant dans la santé de la peau et des muqueuses et protège des infections.

Les abricots sont également riches en fibres, notamment en pectines qui sont particulièrement bien tolérées par les intestins les plus fragiles. Ces fibres contribuent à faire baisser le taux de cholestérol en évitant la montée brutale de sucre dans le sang et en permettant un apport régulier d'énergie. L'abricot est particulièrement recommandé aux personnes souffrant d'anémie ainsi qu'aux enfants, adolescents, convalescents et personnes âgées.

A poids égal, les abricots secs ont une teneur en vitamines, minéraux, oligoléments et calories égale à quatre ou cinq abricots frais. Sa richesse en potassium contribue à réguler la tension artérielle et sa richesse en fer qui est indispensable à la formation de globules rouges, permet de lutter contre l'anémie. Enfin, ils sont particulièrement recommandés pour les efforts musculaires importants grâce

Les aliments santé

à leur apport calorique important. L'abricot renferme de nombreux antioxydants (flavanoïdes) qui protègent les cellules du corps des radicaux libres.

Enfin, l'abricot est une bonne source de cuivre, phosphore, magnésium, potassium, vitamine B5, C et K.

Les abricots de saison poussent de mars à août. Il faut le choisir bien mûr, car il ne mûrit pas une fois cueilli, et il doit sentir l'abricot. Ils ne se conservent pas plus de deux ou trois jours. Ils sont fragiles et ne doivent pas être conservés au réfrigérateur.

Ail

Un aliment aux multiples propriétés, l'ail a une action avérée sur le cœur et les artères. Sa consommation régulière (environ deux gousses par jour) stimule la dilatation des vaisseaux sanguins réduisant ainsi les risques d'attaque cérébrale ou d'infarctus et baisse la tension artérielle. L'ail est également anti-infectieux et aide à combattre grippe, gastro-entérite, boutons de fièvre… Il peut faire baisser le taux de cholestérol et combat les parasites intestinaux. Enfin, l'ail pourrait aider à lutter contre le cancer, notamment le cancer colorectal et le cancer de l'estomac.

Ses principes peuvent être détruit par la cuisson, il est donc préférable de l'utiliser cru. Il se conserve très bien au sec, à température ambiante, jamais dans une boîte hermétique. Il peut donner une haleine forte que l'on peut combattre en mâchant du persil.

Ananas

Peu calorique, l'ananas est le chouchou des aliments régime. De plus, il contient une enzyme très puissante la bromélaïne, qui améliore la digestion des protéines et pourrait aider à lutter contre les maladies cardio-vasculaires. Riche en fibres, il favorise un bon transit intestinal et la sécrétion urinaire. Il contient du bêta carotène, précurseur de vitamine A, dupotassium, dela vitamine C. Il convient aux personnes victimes d'intoxication, aux personnes souffrant d'obésité et aux convalescents.

L'ananas se conserve au réfrigérateur quatre ou cinq jours. Pour le choisir, mieux vaut se fier à son poids, et à son parfum fruité. Un parfum trop prononcé indique au contraire une fermentation. Les feuilles doivent être fermes et bien vertes.

Artichaut

L'artichaut est l'aliment santé du système digestif par excellence et stimule le foie et les reins. Il contient de l'inuline, une forme d'amidon, qui lui donne une saveur sucrée. Cet amidon limite l'augmentation du taux de sucre dans le sang et favorise une bonne santé intestinale. Son action permet de diminuer le taux de lipides et de cholestérol dans l'organisme. Il contient également des vitamines B, et C, aux propriétés anti-oxydante et anti-fatigue. L'artichaut contient de nombreux antioxydants. Il est recommandé en période de surmenage ou en période de croissance, car il est riche en minéraux notamment en cuivre.

Il faut les choisir bien fermes, propres et bien fermés. Cuit il doit être consommé rapidement pour éviter le développement de moisissures toxiques.

Banane

Selon son degré de maturité, les qualités de la banane change. Ferme, elle est composée d'amidons et elle peut entraîner des troubles digestifs. En mûrissant, la banane est assimilée par les intestins pouvant même avoir un effet anti-diarrhéique. Riche en potassium elle lutte contre l'hypertension. Riche en glucides, elle est recommandée aux sportifs ou aux intellectuels soumis à une activité intense. Enfin, elle stimule la sérotonine qui favorise un sommeil paisible et améliore l'humeur.

Comme l'abricot, elle contient quatre à cinq fois plus de calories et de nutriments quand elle est séchée.

Elle se conserve à température ambiante et noircit au contact du froid. On peut accélérer le mûrissement en les mettant dans un sac de papier.

Betterave

Elle doit sa couleur intense à un pigment (la betanine), qui est un puissant antioxydant. La betterave est très riche en potassium, en acide folique (vitamine B9) qui contribue à la fabrication des cellules dans le corps, notamment des globules rouges, en vitamines B9 et C, en phosphore, fer, cuivre, zinc et sucre. Elle contribue au bon fonctionnement du système nerveux et du système immunitaire. Elle aurait des propriétés anti-grippales. La betterave convient parfaitement aux personnes souffrant d'anémie et de carence en minéraux et elle est importante durant les périodes de croissance, notamment au cours du développement du fœtus. Il vaut mieux la manger crue, finement râpée, comme les carottes. Elle se conserve une ou deux semaines au réfrigérateur.

Café

Le robusta est plus riche en caféine que l'arabica. La caféine stimule la vigilance et retarde l'endormissement. Il stimule les reins et donc peut augmenter l'excrétion des minéraux et il est donc déconseillé aux femmes enceintes ou ménopausées. Néanmoins, le café contient des vitamines et des minéraux ainsi que des composés antioxydants. Riche en vitamine PP il contribue au bon fonctionnement du système nerveux. Malgré de nombreuses études sur le risque de maladies cardiovasculaires, le sujet demeure controversé et il est encore difficile de se prononcer au sujet de son caractère bénéfique ou néfaste sur la santé cardiaque.

Il ne doit pas être bouilli, car il libère alors des alcools diterpènes néfastes (le cafestol et le kahweol) qui augmente le taux de cholestérol dans le sang.

Carotte

Sa couleur provient de sa forte teneur en bêta carotène, précurseur de vitamine A. Elle contribue à la croissance au renforcement des défenses immunitaires. Elle possède également des caroténoïdes, une famille de composés antioxydants, et de nombreuses vitamines et minéraux : Fer, vitamine B3, Phosphore, Potassium, Vitamine A, B6, C et E.

Elle renforce les défenses naturelles et lutte contre les maladies infectieuses et les intoxications alimentaires. Souvent conseillé aux fumeurs, elle réduirait les risques de cancer. Riche en fibres (pectines et cellulose), la carotte est recommandée aux bébés comme aux adultes contre les inflammations des intestins, et pour lutter contre la diarrhée. Elle permet également de combattre les parasites intestinaux. Elle possède une action bénéfique sur la peau et ralentit le vieillissement.

Mieux vaut conserver sa peau, qui possède le plus d'éléments nutritifs.

Céréales

Blé, seigle, avoine, orge, maïs, sarrasin, millet, épeautre, quinoa, riz… les céréales sont indispensables même en période de régime. Elles doivent être choisies complètes afin de na pas dénaturer leurs qualités nutritionnelles et de préférence bios, car c'est dans leur enveloppe que les céréales ont le taux le plus élevé de pesticides. Ils diminuent les risques de maladies cardiaques, d'hypertension. Leur richesse en fibres est bénéfique au fonctionnement de l'intestin, et favorise l'excrétion du cholestérol, la baisse de glucose et d'insuline dans le sang ce qui peut contribuer à réduire les risques de maladies cardiovasculaires et du diabète. Les fibres aident également à normaliser le transit intestinal et ont un effet rassasiant.

Le blé

Il est source de phyto-oestrogènes mais contient du gluten qui est déconseillé aux personnes souffrant de maladies de l'estomac. Le germe de blé est très riche en nutriments et vitamines B1, B9 et E. Ils sont conseillés en cas de déminéralisation ou d'anémie ou en période d'activité intense.

Les aliments santé

L'avoine

Il a un effet sur la satiété en raison de sa richesse en fibres solubles (notamment en bêta glucane). En ralentissant l'absorption des glucides dans l'intestin, le bêta glucane diminuerait la glycémie après les repas, et donc les besoins en insuline. C'est la céréale la plus riche en lipides, notamment acides gras insaturés. Elle contient aussi des protéines riches en acides aminés essentiels, qu'il est nécessaire cependant de compléter avec d'autres sources protéiques. Enfin, l'avoine est riche en minéraux : phosphore (qui contribue à la formation des os et des dents, à la régénérescence des tissus et des membranes cellulaires), en manganèse (qui active le processus métaboliques et lutte contre les radicaux libres), en magnésium, fer, sélénium, vitamine B1, zinc, cuivre, vitamine B5.

Le riz

Il est énergétique et apporte des vitamines B1 essentielles à la transformation des matières grasses et des sucres en énergie et au bon fonctionnement du système nerveux et des muscles. Il est particulièrement recommandé en cas de diabète, car il provoque une augmentation plus faible du taux de sucre dans le sang que les autres céréales. Il est dépourvu de gluten et peut donc être consommé par les personnes allergiques au pain. Il permet de lutter contre la diarrhée.

Le seigle

Il a des propriétés laxatives et donne une sensation de satiété grâce à ses substances qui gonflent dans l'estomac.

Chou

Le chou est utilisé depuis des millénaires pour ses propriétés médicales, aujourd'hui quelque peu oubliées. En pansement, la feuille de chou soignait l'eczéma, l'ulcère, le zona, une blessure ou des brûlures. Riche en minéraux, le chou renforce les défenses immunitaires. Le souffre a une action tonifiante et désinfectante. Riche en vitamines, il revitalise l'organisme, retarde le vieillissement des tissus (vitamine A) favorise le bon fonctionnement du système nerveux et des muscles et la croissance (vitamine B). Cru ou cuit à l'étouffé, le chou possède des propriétés bénéfiques sur l'estomac et l'intestin. La cuisson à l'eau le rend moins digeste et le prive de certaines de ses vitamines.

Endive

Encore une star des régimes amaigrissants en raison de sa teneur faible en calories, et de sa richesse en fibres. La vitamine B qu'elle contient contribue au bon fonctionnement du système immunitaire. Une fois cueillie, elle a tendance à verdir et à devenir amère.

Epinard

Un légume reconstituant riche en vitamines C, E, et carotènes. Les épinards diminuent les risques cardio-vasculaires, mais aussi les dégénérescences de la vision et la cataracte grâce à la lutéine et la zéaxanthine qu'ils contiennent. Riches en potassium, les épinards permettent de prévenir et de réguler l'hypertension. Ils sont recommandés pour les enfants bien sûr mais aussi pour les personnes âgées et souffrant d'anémie, ou de fatigue. Leur teneur en bétaïne pourrait réduire le risque de maladies cardiovasculaires.

Les jeunes pousses crues sont une source inépuisable de vitamines en minéraux, (magnésium, fer, manganèse, folate, vitamine A et vitamine K) qu'ils perdent en grande partie à la cuisson.

Haricots verts

Les légumes minceurs par excellence, ils ont en outre de grandes qualités nutritionnelles. Ils sont riches en vitamine B9 qui contribuent au bon fonctionnement du système immunitaire, mais aussi de la vitamine C, du bêta carotène, nécessaire à la croissance et au développement des tissus, à la santé de la peau et de la vision, de la vitamine B2, B5 qui participe à la transformation des lipides et glucides en énergie, de la vitamine B6 pour la croissance et de la vitamine E pour le cœurs et les vaisseaux. Les haricots sont également une source importante de minéraux : fer, magnésium, calcium, potassium. Ils sont recommandés aux personnes qui veulent perdre du poids en raison de leur faible valeur calorique et leur index glycémique bas. Ils sont, de plus, riches en fibres et facilitent le transit intestinal. Enfants, convalescents et personnes surmenées profiteront également de leur exceptionnelle teneur en vitamines et minéraux.

Leur teneur en eau est garante de leur fraîcheur.

Huiles

Elles peuvent être classées en fonction de leur teneur en d'acides gras saturés, mono-insaturés et polyinsaturés. Les acides gras insaturés exercent des effets positifs sur le taux de cholestérol et le risque de maladies coronariennes. Ils sont aussi particulièrement riches en antioxydants. Les huiles d'olive et de colza sont les plus riches en acides gras mono-insaturés, reconnus pour leur action bénéfique sur la santé cardiovasculaire.

L'huile d'olive

Il est la source principale de matières grasses dans les régimes méditerranéens. Riche en acides gras mono-insaturés (80%), elle protège de l'oxydation, réduit de façon notable les risques d'infarctus du myocarde, de maladies cardiovasculaires par son action sur la tension artérielle, le taux de triglycérides, de glucose et de cholestérol-LDL, surnommé le mauvais cholestérol, par opposition au cholestérol cholestérol-HDL, le bon cholestérol.

En outre, l'huile d'olive contient beaucoup de composés phénoliques, aux propriétés antioxydantes.

L'huile de colza

Il renferme vitamines E et acides alpha-linolénique, de la famille des oméga-3. Son goût est moins relevé que l'huile d'olive et son prix est plus abordable.

Comme l'huile d'olive, elle est riche en acides gras mono-insaturés (60%), diminue les taux de mauvais cholestérol et de triglycérides et réduit les risques de maladies cardiovasculaires.

Elle renferme également des acides gras oméga-3, des acides alpha-linoléniques, bénéfiques pour la santé cardiovasculaire, et des acides alpha-linolénique (comme l'huile de lin, de noix et de soja). Elle contient un taux record de vitamine E et de phytostérols qui entravent l'absorption du cholestérol dans l'intestin et baissent le taux de cholestérol. Enfin, source de vitamine K qui joue un rôle dans la coagulation sanguine et la formation des os, en vitamine E.

Il est préférable de choisir une huile vierge pressée à froid, obtenue par pression mécanique à froid, et qui n'est pas raffinée. Enfin, les huiles perdent leurs vertus gustatives et leurs qualités nutritives lorsqu'elles sont chauffées.

Légumineuses

Lentilles, pois cassés, pois chiches, fèves, cocos… sont des aliments riches en protéines. Ils contiennent l'ensemble des acides aminés de la viande ou du fromage s'ils sont associés aux protéines contenues dans les céréales. On retrouve ces associations à travers le monde : pois chiche et semoule de blé au Moyen-orient, haricots rouges et galettes de blé en Amérique du sud, lentilles et riz en Orient. Ils sont riches en glucides à charge glycémique faible et pauvres en lipides. Leur teneur en vitamines B, potassium, phosphore, manganèse, cuivre, folate, magnésium, fer, et fibres leur confère de multiples propriétés sur la tension artérielle, le taux de cholestérol, la croissance, le transit et elles sont recommandées aux personnes souffrant de surpoids, de constipation, aux végétariens, aux sportifs et aux diabétiques.

Il vaut mieux les faire cuire longtemps pour les rendre plus digestes.

Melon

Riches en vitamines C et en bêta carotène, le melon a des propriétés antifatigue et anti-infectieuse, et contribuent à la croissance, au développement des tissus, et à la vision. Il contient également de la vitamine B6 qui participe à la fabrication des protéines, des acides gras, des neurotransmetteurs, des globules rouges et au bon fonctionnement du système immunitaire. Il est particulièrement recommandé aux personnes anémiques, et aux personnes souffrant de constipation.

Il faut le choisir le plus lourd possible, et craquelé à la base du pédoncule. Il doit être également bien parfumé.

Miel

Le miel possède de nombreuses vertus dont les plus connues sont ses qualités adoucissantes et anti-infectieuses. Cet aliment naturel, riche en glucides (fructose et glucose) est très facilement assimilé par le corps. Riche en prébiotiques, il améliore la croissance des bifidobactéries et des lactobacilles, et permet d'équilibrer la microflore intestinale. Le miel est également source d'antioxydants, (notamment de flavonoïdes) qui agissent dans la neutralisation des radicaux libres et préviennent l'apparition des maladies cardiovasculaires et de certains cancers. Les miels les plus foncés, contiennent davantage de flavonoïdes. Comme tous les produits glucides, le miel peut causer des caries et une érosion de l'émail.

Navet

Il appartient à la famille du chou et en possède les nombreuses propriétés. Riche en fibres, il aide au transit intestinal, source de vitamines C, il lutte contre la fatigue et les infections. Il contient du bêta carotène, de la vitamine B9, et de nombreux minéraux : calcium, phosphore, potassium, magnésium, souffre. Il est recommandé aux personnes souffrant de surpoids comme aux sportifs. Il peut combattre la diarrhée, et les maladies infectieuses (bronchite, rhume, angine…), les maladies de peau telles que l'eczéma ou l'acné, et enfin, il combat les calculs rénaux.

Les navets doivent être lisses et lourds. Ils peuvent être mangés crus et râpés pour préserver au maximum leurs qualités. Les fanes peuvent être cuisinées en potage.

Noix, noisettes

Les oléagineux ont des propriétés antioxydantes. Leurs acides gras de type mono-insaturés sont reconnus pour leurs bienfaits sur le plan cardiovasculaire. Ils ont un effet hypocholestérolémiant, et réduisent le risque de calculs biliaires. Sources de fibres, les oléagineux préviennent la constipation et diminuent le risque de cancer du côlon et de maladies cardiovasculaires. Malgré leur richesse calorique, la consommation d'oléagineux ne serait pas associée à une prise de poids par un effet de satiété, par le contenu élevé en fibres et en acides gras polyinsaturés et par une absorption incomplète des lipides.

La noisette est particulièrement riche en acides gras mono-insaturés sous forme d'acide oléique, qui permet une diminution cholestérol-LDL (mauvais cholestérol), et sans réduire le bon cholestérol HDL. En outre, elle contient du manganèse qui facilite les processus métaboliques et lutte contre les radicaux libres, du cuivre, de la vitamine E, du magnésium, du fer, des vitamines B1, B5, B6, du phosphore, du zinc.

La noix est particulièrement riche en acides gras polyinsaturés (70%), sous forme d'oméga-3, qui favorise la santé cardiovasculaire, notamment par la diminution des lipides sanguins.

Elle a un taux particulièrement élevé en arginine, un acide aminé favorisant la dilatation des vaisseaux sanguins.

Œuf

L'oeuf est riche en protéines et en vitamines D, B2 et B12. Certains nutritionnistes limitent néanmoins sa consommation à un œuf par jour ou deux par semaine, en raison de sa teneur en cholestérol et sa richesse nutritive. Les caroténoïdes lui confèrent sa couleur jaune, sont des antioxydants qui limitent le processus de vieillissement et les maladies cardiovasculaires en réduisant les radicaux libres. Il contient également de la choline qui participe au bon fonctionnement et au développement du cerveau, notamment de la mémoire. Il est donc recommandé pendant les périodes de grossesse et de croissance. Riche en protéines de grande qualité (l'œuf possède les neuf acides animés essentiels), l'oeuf contribue à la santé de la peau, des muscles et des os et à la formation des hormones. Concernant son taux élevé en cholestérol, de nouvelles études tendent à montrer qu'il n'y aurait pas de lien entre cholestérol alimentaire et maladies cardiovasculaires. D'autres parts, l'œuf ne contient que peu d'acides gras saturés.

L'œuf est riche en sélénium, qui est antioxydant, vitamine B2, vitamine B1, qui joue un rôle important dans la croissance, la production d'hormones, la réparation des tissus, en vitamine A , D, E, en vitamine B12 qui participe à la fabrication des globules rouges, en phosphore, en zinc, en acide pantothénique, en folate.

Oignon

Il recèle de multiples vertus employées dès l'Antiquité. Il favorise l'élimination des urines, diminue le taux de cholestérol, l'hypertension. Il soigne la toux et le rhume, il combat la rétention d'eau, la diarrhée et les infections. Il a un effet protecteur contre certains cancers et contribue enfin à faire baisser le taux de sucre dans le sang.

Il se conserve dans un endroit frais et sec.

Poireau

Le poireau est connu pour ses propriétés diurétiques grâce à sa forte teneur en potassium. Il est également riche en calcium, phosphore, magnésium, souffre. Il contient beaucoup de vitamines B9 utile au fonctionnement immunitaire et des antioxydants qui aident à lutter contre le cancer et réduisent les risques de maladies cardiovasculaires. Ses composés sulfureux, qui lui donnent son odeur, sa saveur et ses propriétés lacrymales si caractéristiques, limiteraient la multiplication de cellules cancéreuses. En outre, il contient du manganèse, des vitamines B6, C, et du sélénium. Il stimule le transit grâce à ses fibres. Les jeunes pousses peuvent se consommer crues, en crudité.

Poisson

Les poissons gras (maquereau, hareng, sardine, saumon, thon, rouget…) proviennent des mers froides et sont riches en lipides, notamment les acides gras de type oméga 3 qui sont très bénéfiques pour le cœur et les vaisseaux. Ils contribuent ainsi à abaisser la tension artérielle, le taux de cholestérol, diminuant ainsi les risques d'infarctus et d'attaque cérébrale. Leur huile a un effet bénéfique sur les intestins et sur la peau.

Ils se conservent très peu de temps et doivent être consommés rapidement avant qu'ils ne rancissent.

Les poissons maigres sont riches en protéines, en sélénium, en vitamine B6 favorable à la croissance et anti-infectieuse, en vitamine E, et en iode aux propriétés stimulantes de l'hormone thyroïdienne.

Pomme

Elle a de nombreux atouts : elle stimule la digestion et l'élimination des déchets, aide à lutter contre la constipation, et combat les maladies articulaires telles que l'arthrite ou les rhumatismes. Ses antioxydants aident à lutter contre les cellules cancéreuses, et le taux de cholestérol sanguin. Elle contient des pectines, fibres solubles qui permettent de faire baisser le taux de cholestérol et qui ont une action anti-diarrhéique. Elle est riche en vitamine C, manganèse et vitamine K. Sa teneur en vitamine C lui confère des vertus antifatigue et anti-infectieuse. Elle est recommandée en cas de fatigue intense, physique ou intellectuelle, les infections, l'ulcère, et la nervosité. Il est préférable de la conserver au frais. A température ambiante, elles perdent leur saveur.

Produits laitiers

Très controversé depuis plusieurs années, le lait est accusé notamment d'augmenter la production de mucus. On le soupçonne d'augmenter les risques de maladies cardiovasculaires, tandis que d'autres études lui prêtent au contraire des propriétés préventives contre ces mêmes maladies. Riche en vitamines et minéraux, notamment le calcium et la vitamine D, il contribue à la bonne croissance et densité des os. Il contient une protéine anti-infectieuse, la lactoferrine. Certaines études prêtent au calcium présent dans le lait des vertus anti-obésité. On peut le trouver également dans le brocoli, les sardines, le saumon.

Le lait peut être une cause d'allergie alimentaire ou d'intolérance

Salade

C'est une excellent et source de carotènes, précurseurs de vitamine A, et de vitamines B9 vitamine C, surtout les salades les plus colorées, comme le cresson, la mâche,les épinards ou la laitue. Elle prévient les risques de cancer et de maladies cardiovasculaires. Elle a une action sédative et lutte contre les spasmes et les palpitations. La chicorée stimule les fonctions digestives. Le cresson stimule les reins et aide à lutter contre les migraines. La frisée est riche en fer et aide à lutter contre l'anémie de même que la mâche. Le pissenlit stimule le foie et combat les maladies de la peau telles que l'acné et l'eczéma.

Soja

Le soja appartient à la famille des légumineuses. Comme elles, il contient des protéines mais en nombre deux fois plus élevé et d'une qualité supérieure puisque ses protéines sont complètes c'est-à-dire contenant les 9 acides aminés essentiels. Le soja contient des antioxydants, les isoflavones, appelés aussi phytoestrogènes pour leur rôle comparable à celui des oestrogènes. Certaines études lui prêtent un rôle préventif dans les cancers. SA consommation tend également à réduire les symptômes de la ménopause. Source de fibres alimentaires, il favorise le transit intestinal. Il contribue à diminuer le risque de maladies cardiovasculaires et de cancer colorectal, le diabète et la tension artérielle. IL contient enfin de nombreuses vitamines et minéraux tels que le phosphore, le magnésium, le fer, le zinc, le manganèse, le cuivre, la vitamine B2 et la vitamine K.

Thé

Le thé est un excitant léger. Il contribue à faire baisser le taux de cholestérol dans le sang, le taux de lipides. Il tend également à faire baisser l'hypertension. Il aurait une action anti-virale et il est conseillé pour combattre les états grippaux. C'est un tonique général qui possède des propriétés diurétiques et digestives. Sa richesse en calcium permet de prévenir le risque de caries. Enfin, c'est un puissant antioxydant grâce à ses polyphénols qui contribuent à ralentir le processus de vieillissement, et lutter contre les cancers et les maladies cardiovasculaires. La quantité de polyphénols du thé varie en fonction de sa fraîcheur et de son mode de transformation. Le thé vert, qui est un thé non fermenté, en contient un nombre beaucoup plus élevé que le thé noir.

Tomate

Il est conseillé de la manger en pleine saison en raison de son goût et de la qualité supérieure de ses nutriments. Elle est riche en potassium, régulateur de la tension artérielle, en vitamine E, utile dans la prévention des maladies cardiovasculaires, et en vitamine C, antifatigue et anti-infectieuse. La tomate est la principale source de lycopène, qui contribue à faire baisser le taux de cholestérol sanguin, lutter contre les inflammations et jouer un rôle préventif contre le cancer. Elle est l'alliée idéale des régimes amaigrissants, car peu calorique. En outre, elle lutte contre la constipation et les inflammations de l'intestin.

Viandes

Les protéines contenues dans la viande sont essentielles. Elles sont nécessaires à la constitution et à la réparation des tissus. Cependant, en excès elles sont néfastes car l'organisme ne sait les utiliser. Elles sont stockées ou éliminées et entraînent une perte de calcium.

Les viandes contiennent des vitamines et minéraux. Elles sont très riches en fer et en vitamines B12 qui participent à la formation de globules rouges. On les conseille aux personnes anémiées. Leur teneur en graisses, en vitamines et minéraux varient en fonction des espèces et des morceaux. Les viandes provenant de l'exploitation industrielle étant plus riches en graisses.

Le mouton

Il est riche en fer et en zinc. Ses lipides sont composés pour moitié de graisses saturées, qui contribuent à augmenter le taux de cholestérol et d'augmenter les risques cardiovasculaires. Les morceaux les moins gras sont le gigot et l'épaule.

Les abats (cœur, tripes, foie, ris, pieds, tête...)

Ils sont riches en fer, zinc, vitamines B12 et pauvres en graisses. Le foie contient beaucoup de vitamine A. La cervelle, riche en cholestérol et pauvre en protéines, a peu d'intérêt de même que les rognons qui contiennent acide urique et cholestérol.

Les volailles (poulet, dinde, canard, oie, pintade)

Ils contiennent beaucoup de protéines. Leurs lipides sont constitués pour une grande partie, de graisses insaturées, qui contribuent à prévenir les maladies cardiovasculaires. Les plus maigres sont le poulet, la dinde et la pintade, l'oie et le canard étant plus gras. Riches en fer et en vitamines B3 qui favorise la libération d'énergie dans les cellules et l'élimination des toxines.

Le gibier

Il contient peu de graisses. Celles-ci sont en majorité des graisses insaturées qui jouent un rôle préventif dans les maladies cardiovasculaires. En outre, les gibiers contiennent beaucoup de fer, du zinc, des vitamines B. Le faisandage (technique permettant d'assouplir la chair par maturation) peut être toxique.

Le bœuf

Il est riche en fer, vitamines B12 et zinc. Sa maturation est nécessaire pour la rendre savoureuse. Composé de graisses saturées (environ 50 %), elle a tendance à augmenter le taux de cholestérol et les risques cardiovasculaires. L'entrecôte est le morceau qui contient le moins de graisse. Le filet et l'épaule sont plus gras.

Index

Index